JN077372

日本の進路 II

誇りある日本人として生きるために

まえがき

昭和二十年八月十五日、日本は有史以来初めて、外国との戦争において敗北した。

それから七十年が過ぎ、すでに諸外国との講和も実現しているというのに、国としての実体は、米国の〝属国〟状態のままである。いくら日米安保条約によって合法的な道順を踏んだとはいえ、日本が米国の軍事基地となっているのは明らかなのである。

しかもそれに輪をかけて、敗戦とともに米国に押し付けられた日本国憲法は改正すらできていない。これでは終戦直後の状態そのままである。この間、昭和二十五年六月二十五日に発生した朝鮮戦争を機に、米国は日本に一度は捨てさせた軍事力を再軍備させ、日本を戦争の最前線に立たせようとした。

この身勝手さにはさすがの日本もいい返事はせず、なんだかんだといって表面的には拒否の姿勢を取りはしたが、しかし実質的には米国の言うがままに再軍備を受け入れた。こうした嘘も戦後の日本人は黙って見て見ぬふりをして、実に七十年余という途方もない年月が過ぎ去ってしまった。

このように政治というものは実に曖昧なものであり、国家がやることに関しては、例え「選挙」という名目上の手段があるとはいえ、国民は何の抵抗もできないのが現実なのである。

しかも国内の「世論」といえば主なマスコミの主張に流されてしまいがちであり、本当に日本として正しい道は何か、正しい生き方は何かということが愚（おろ）そかにされてしまっている。

そこで筆者としては、世界の先進国がどんな道を歩んだのかを始めとして近年の日本の歩みに光を当て、本当の日本の進路はどうあるべきかをしっかりと考え、反省したいとの思いから本書を書くことにした。

さらに私たちは、毎日の生活の中で、いろいろなことに出くわすが、大きくは世界政治の現場から些細な日常の出来事に至るまで、折りに触れて様々な思いが頭の中を過ぎる。

筆者はこうした時、頭に浮かんだ疑問や思いをすぐメモに書きつけることを習慣にしている。

そうしないと、暫くするとすっかり忘れてしまうからである。

また日中、街中を自転車で走っているときに何か思いついたことがあれば、その場で自転車を止めて書き留めておく。こうして家に帰ってから、ゆっくりと原稿用紙と取り組むのである。


かくして書きためた物がいっぱいになると本の出版へと切り替えるのであるが、前著『日本の進路』に引き続いて今回『日本の進路Ⅱ』が完成した。

筆者は常日頃、世界政治を見ていても、日本の政治を見ていても、はたまた自分の身辺の出来事を見ていても「果たしてこれでいいのか」との思いが再三頭を過ぎる。

勿論その場合、これは自分の考えの方が正しいのではないかと思うこともあれば、自分が間違っているかもしれないと思うこともある。

しかし、一度自分の頭を過ぎったことは紛れもない事実である。そこで後から、再三再四考え直し、それでもなお「自分としてはこう考えざるを得ない」と思ったことだけを残すことにした。

筆者の人生もあと幾許もない。

歩いてきた道の最終段階において、溜まりきった自分の考えを残しておくのも人生のあり方ではないかとの思いから、敢えて出版に踏み切ることにした。この本を手にしていただいた読者諸兄のご叱声を心からお願い申し上げたいと思う。

なお樹林舎の山田恭幹社長には終始変わらぬ献身的なご指導を頂いた。ここに厚く御礼を申し上げたい。

著者

日本の進路Ⅱ　目次

第三章　一　般

第四章　社　会

第五章　私の考え方

第一章　国家〔一〕

（一）プーチン大統領の訪日

平成二十八（二〇一六）年十二月十五日、ロシアのプーチン大統領が安倍晋三首相の招きで来日した。会談の場所は山口県長門市の温泉旅館で、安倍首相の地元である。

大統領が来日する前、ほとんどの日本のマスコミは、二人は北方領土問題と平和条約の締結交渉を協議するという論調であった。

ところが実際に首脳会談が開かれてみると、北方領土の返還は話題にものぼらず、協議の主な内容は四島での「共同経済活動」ということであった。

今度こそ北方領土に何らかの足掛かりがつかめるのでは、と期待していた人々は完全に肩透かしをくい、大半の日本国民はがっかりしてしまったことであろう。

しかも会談を通じて日本は、三千億円規模の対ロ経済協力に合意したとのこと。何のことはない、プーチン大統領にお土産だけ持たせて日本国民の熱意はほとんど無視された格好になってしまった。

しかもその後のマスコミ報道によれば、北方領土の問題はいつのまにかカジノ利権の話にすり代えられたようで、ロシア側は領土問題を譲らなかったばかりでなく、経済協力や利権まで得たのだから「ロシアの外交的勝利」とさえ新聞に書かれた。日本国民が呆気にとられてしまったのも無理のない話であった。

これらの経緯を含めて筆者は、政治とは実に難しいものだということを痛感する。国と国との交渉というものはすべて国益を優先する。理屈ではない。

だから筆者は、結果的には「敗北」ともとれる今回の会談を通じ、一方的に安倍首相を責める気持ちにはなれない。

そもそも領土問題の根本原因は、日本が先の大戦で敗れたことにある。

戦争に負ければどんな理不尽な要求も認めざるを得ないのである。

ここが敗戦国民のつらいところである。

ところが対ロシアに限っての話だが、実はそれは当たらない。

というのは、敗戦時、日本はソ連との間に「日ソ不可侵条約」を結んでいたからである。

日本が降伏して全ての軍備を投げ出したにも拘わらず、ソ連は満州になだれ込み、不当にも日本兵を拘束し、何十万という兵隊をシベリアで強制労働に従事させたのである。

北方領土でも同様で、ほとんど無抵抗の日本人を蹂躙したのである。

そしてスターリンは何と言ったか。

「これで日露戦争の敵(かたき)がとれた」

こんな理不尽な話はない。

しかしそれが現実であった。

私たち日本人は、この歴史的事実を忘れてはならない。

まず、戦後七十余年を経た今になっても、ロシアとの間に平和条約が結ばれていない。これは、あるいは異常なことと言っていいのではないか。

しかし日本人の側からすると、あの敗戦時のソ連の仕打ちが心の底から離れず、鉛のように溜(たま)っているのが事実である。

だから本音を言えば、未だロシアに対して好感を持っている人は少ないと思う。

しかし我々は、そんなことを口や態度に出したりすることはできない。

本音はどうであろうが、世界平和のためにも友好のためにも、そうした感情はじっと押し殺して接していかなければならないのである。

そうした意味でもロシア自身も、もう少しこうした歴史的事実を自覚して欲しいものだと思うのだが、再三言うように国家というものは国益を第一に考える。

友好や平和を最優先に考えるわけがない。

では今後、日本はどんな態度をとるべきであろうか。

それについて私は、以下の三点を提案したい。

①国益を第一に考え、日本固有の領土である四島の主権は日本にあることを辛抱強く訴え続けていく。
②対ロシア関係ばかりでなく、日本はすぐ金銭を差し出そうとするが、この悪弊をやめるべきだ。政治家が外国でばらまく多額の金銭はすべて国民の税金である。いくら政治家に権限があると言っても、これほどの無駄遣いはやってもらいたくない。
③国家としての軍事力を強めること。軍事力を強めることは何も戦争をすることではない。外国との交渉にしても発言力にしても、国に軍事力のないことは論外で、これは常識である。外国に侮られない迫力をしっかりと蓄えて堂々と日本の思いを展開することである。

今の日本人は、七十余年前の敗戦が未だに尾を引き、国民全部が「平和ボケ」してしまっている。目先の経済の裕福さに惑わされているのである。

今現在が平和であれば、それが永遠に続くと勘違いしている。

しかし世界情勢はいつ何時、どのように変化するかわからない。

そうした事態になった時、慌てないように対処するだけの平素の備えと心構えは必要である。

今、一時的には対ロシア外交は挫折したかもしれないが、以上のような心構えで根気よく折衝を続けていけば必ず道も開けよう。

それにしても戦争に敗れるということは、外交面ばかりではなく、国民そのものも変えてしまうほどの大きなことだと、つくづく考えざるを得ない

今後我々は、極力戦争は避けるべきなのは当たり前であるが、そのためにはどうしたらいいかを真剣に考えなくてはならない。

それがこの度のプーチン大統領訪日の教訓だと思う。

(二) 安倍首相の真珠湾慰霊

平成二十八(二〇一六)年十二月二十七日、安倍晋三首相はオバマ大統領とともに慰霊のため、ハワイの真珠湾を訪問した。これは先にオバマ大統領が来日した際に広島を訪れたことへの答礼(とうれい)の意味

もあり、しかも来年（二〇一七）一月にはオバマ氏が大統領を退任するということもあって、真に時宜を得たものと言える。

また今回の訪問は、先の開戦にあたって日本の奇襲攻撃を受けて戦死した多数の米兵を含めた両国の戦死者を慰霊するためのものであり、そして米国との更なる同盟強化を図ろうとする目的もある。そうした意味においても、安倍首相の真珠湾訪問は誰もが納得するものであったと思う。

ところが政治というものは難しいもので、米国側からすれば日本が騙し討ちをした真珠湾攻撃に何の謝罪もないまま日本の首相が訪れるのは納得がいかない、といった意見が出ているという。米国にすればある意味で、これは当然の主張だと言うかもしれない。

しかし筆者は、そうした意見は当たらないと思う。確かに当時の日本大使館の不手際のために米国への開戦通告が遅れ、結果的に不意打ちになってしまったという事実は残る。

しかし、いつ戦争が始まってもおかしくない当時の実情を考えれば、そんな理屈や悠長なことを言っている状況ではなかったはずである。

戦争には「先制攻撃」という戦略もある。

さらにもうひと言付け加えれば、時の米国大統領であったルーズベルトは米国民を参戦させる口実をつくるために、日本の攻撃を百も承知していながらわざと手を打たなかった、という陰謀説さえある。

どこまでが本当の話かは我々にはわからないが、戦後七十余年を経た今日、蒸し返すような議論ではないであろう。

そうしたことを論（あげつら）っていると、では米国が広島や長崎に原爆を投下したのはどんな正当性があったのか、などという不毛な論争に発展してしまう。

さらに今回の安倍首相の真珠湾訪問時の演説には「謝罪」の言葉がなかったとの意見もあるが、そんなことは当たり前のことである。

一国の首相が簡単に謝罪の言葉を口にすれば結果はどうなるか、分かりきった話である。

だからオバマ氏が広島を訪問した時も一切謝罪の言葉はなかったし、これが当たり前なのである。

この件に関しては、過去において中国や東南アジアを歴訪した日本の首相が、軽々しく謝罪の言葉を口にしたために、大きく国益を損じてしまったことを、誰もが覚えていることであろう。

このように今回の首相の真珠湾訪問が適切な政治行動であったことは理解いただけたと思うが、実はこの訪問にはもう一つ、別の大きな目的が隠されている。

それは、当面考えられている総選挙を少しでも有利に運ぶために打った大芝居であったということだ。

先のプーチン大統領の訪日については、安倍首相にとっては「成功であった」と評価する評論家もいるが、国民の目から見れば「領土の返還」という具体的な成果もなく、あまりパッとしたものではなかった。

そこへ行くと今回の真珠湾訪問は「日米同盟の強化」といった意味からも「和解の象徴」という意味でも、国民にアピールするのに十分な行動の連続であった。

安倍首相がこうした機会を見逃すはずがない。

おそらく今年は選挙の年になるのではないか、そう筆者は予測する。

さてこうして平成二十八年も暮れてゆき、いよいよ平成二十九年を迎える。

平成二十九年冒頭の最大の出来事は、米国のドナルド・トランプ大統領が就任することだ。

ご承知のようにトランプ大統領はこれまでに世界が見たことのないような、全く異質な大統領である。彼は不動産業界の出身であり、これまで政治家としての経験は皆無である。それだけに選挙中の言動はまさに言いたい放題であり、それがまた受けて主として下層階級の人たちの支持を得て、大方の予想を裏切って大統領に当選した。

選挙戦での演説を見ていると彼が一番強く主張したのは「米国第一主義」ということである。そしてそのためにはどんなことでもやると公言している。

例えば「メキシコ国境に壁をつくる」とか「日本が核兵器を保有しても、米国にとって悪いことではない。米国には日本防衛に巨額の金を費やす余裕はない」などと言っている。

どんな国であっても国益を第一に考えるのは当たり前のことだが、それをはっきり口に出して言いたい放題に喋りまくったのがトランプ大統領である。

これは根っからの政治家でないから言えることかもしれないが、トランプ大統領になって世界がひっくり返ったような状態になるのか、口で言ったほどのことはなかったといった状態になるのか、それは分からない。

分からないが、今この機会に日本国民が再度しっかりと胸に刻みつけなければならないのは、国際社会というものは、甘い考えでは渡っていけないということである。

それが国家というものである。

ところが日本の政治家や国民は、本当に国益を第一に考えているのであろうか。

筆者は不安で仕方がない。

筆者はトランプ大統領の言いたい放題の姿勢がそのまま世界に通用するとは思っていないが、この機会に我々は、このことについてもしっかりと反省と自己認識を確認すべきだと思う。

(三)「仏像盗難判決」事件

文化財の「観世音菩薩坐像」が韓国人窃盗団に盗まれた。

韓国中部にある浮石寺(ふせきじ)(プソクサ)が所有権を主張して提訴し、大田(テジョン)地裁が引き渡しを命じる判決を言い渡したという。

要するに仏像は、もともと浮石寺のものであり、盗んだとしても元に返しただけだとの判決である。「盗人猛々しい(ぬすびとたけだけしい)」とはこういう連中をいう。

筆者はこの記事を読んで、正直あいた口がふさがらなかった。

いろいろなところで筆者が指摘しているがごとく、戦後の韓国は日本に対して傍若無人な態度を取り続けている。

それは戦前の歴史を精査すれば必ずしも理解できないことではないが、今、韓国が日本にとっている態度は決して韓国のためにはならないことだと思う。

ましてや今回の事件のように他国から仏像を盗んでおいて、それを裁判所が韓国の寺に所有権があるなどと判決するに及んでは無法もいいところである。

平成二十九年二月一日の中日新聞の社説は「判決は文化財の窃盗を、密輸を防ぐ国連教育科学文化機関（ユネスコ）の条約（一九七二年発効）に反する。条約加盟国から盗まれた文化財は持ち込まれた国が返還するよう定めている。日韓両国は加盟国であり、韓国は条約に従って仏像を対馬に返還する義務がある」と言っているが、当然のことであろう。

ところが韓国政府は「浮石寺で制作された仏像だが、略奪されたという証拠はない」としらを切っている。

こうしたところを見ると、韓国という国は一体国家としての体面を成している国かと疑問に思えてくる。

いくら泥棒をしても、国がなんだかんだと理屈をつけて正当化しようとするなどということはまさに常識以前の問題だと思う。

現在、日本と韓国との関係は、同じ西側諸国の同盟国であるにも拘わらず、決してうまくいっていないことは周知の通りである。

それを韓国は、前述したように戦前の思いを今に引きずって日本を敵国扱いしている。

果たしてこれが、国としての正しいあり方であろうか。

別のところでも書いたように筆者自身は、韓国という国にはあまり好意を持っていない。

しかしそうした個人的な好き嫌いは別にして、今、韓国の立場に立ってものを考えた場合、日本を敵国扱いにすることが果たして自国の国益になるのであろうか。

筆者はならないと思う。

大局的に考えても筆者が韓国人であったら、腹の中の思いはどうであっても、まず日本との友好を考える。

韓国はまず地理的に大陸と地続きに位置している。

この現実はこれまでも変わらなかったし、今後も絶対に変わることがない。

だから韓国人にとってこれは、動かしがたい厳然とした「宿命」なのである。

この宿命を背負った国家というものが、どこの国と連携し、どこの国と友好を保っていくのが一番の国益になるか、そう考えるのはその民族にとって当然の問題であろう。

これまで韓国は何百年にもわたって中国の「属国」であった。

国力も軍事力も、中国に及ばなかったからである。

同様のことは近年に至って日本との間でも続いた。

繰り返し言うが、韓国は中国と日本という両大国に挟まれた半島であり、その事実はどうしようもない宿命である。

この事実に目を背けることなく真正面から真剣に取り組むことが、韓国民にとって、未来を見据えた国策ではないであろうか。

世界を見回せば、小国といえども立派に自尊の国是を貫いている国はいくらでもある。

今、韓国に与えられた国民の義務はそこにあるのではないか。

朝鮮戦争は一時的な休戦状態でいつ何時また火を吹くか分からず、北朝鮮に至っては世界に反逆して何をしでかすか分からない。

こうした状況下において北朝鮮と中国ばかりでなく、日本までも敵に回してしまっていいものかどうか。

日本を敵国扱いにして常識を外れたようなことを平気でやっていては、とても日本国民の協力や理解は得られない。

筆者が韓国人なら背筋が寒くなる思いがする。もちろんいくら韓国が日本を頼ってみたところで、日本人の反韓思想は容易になくなるものではなく、韓国のために日本人が尽くすなどということはあり得ない話だと思う。

しかし韓国民とすれば、そうした日本ではあっても少しでも友好の念をもって対処することは当然の態度だと思う。

それを今回の「仏像事件」のようなことをやっていてはますます孤立を深め、結局、周辺国の属国状態を維持するだけの国に成り下がってしまうのではないか。

韓国人はもう少し考え方を改めれば、まだまだ日本に負けないほどの潜在能力を秘めていると思う。もっと謙虚になって日本の良いところは素直に取り入れ、日本を敵に回さないよう細心の注意を払って政策を進めることが根本的な国策でなくてはならないと考える。

(四) 国が負けるということ

昭和二十年八月十五日、日本が大東亜戦争に敗れてすでに七十余年が経つ。

この間、日本の、というより日本人の変わり様は筆舌に尽くしがたい大きなものであった。

私たち昭和八年生まれの者は、直接戦地に赴かなかったとはいえ子供の頃にしっかりと戦前の教育の一端を叩き込まれたし、戦後の日本の変化の一部始終も明確に見聞もし、体験もした世代であった。そして戦後七十余年を経た今、私たちが強く感ずることは何であろう。筆者の狭い範囲での見聞と体験ではあっても、その一端を書き留めておくことは大切なことだと思う。

日本の有史以来、外国との戦いにおいて初めて敗れるという体験をしたのが先の大戦であった。したがってそこには、これまで経験したことのないこともあったろうし、国が敗れるということがどんなことなのか、誰もが真剣に考えたことなどなかったのである。

確かに日本史の上ではたくさんの合戦が行われてきたのは事実であり、それらの推移は一応承知している気でいた。

しかしそれは言ってみれば身内同士の争いであり、何か小説か文学を読んでいるような他人事としてではなかったか。

ところが今回の敗戦は、全く異民族との戦いであった。しかもある意味では白人社会のすべてを向こうに回しての戦争であったと言える。

だから日本人にとってはこれまでの国内戦とは全く異質の戦争であった。

確かに歴史的には、蒙古襲来、日清、日露の戦いなどはあったが、大東亜戦争は規模も範囲も桁違いの大きな戦争であった。

ここに今回の戦争の特異性があったといえよう。

さてこうした日本人の〝初体験〟とも言える大東亜戦争において一敗地にまみれてしまった日本人が受けた変化はどんなものであったであろうか。

筆者は、まず第一に国家の誇りとプライドが一気に失われてしまったのではないかと思う。

戦前の日本は、国家のプライドという面においては、過剰なまでの誇り高き国民であった。

明治以降の教育勅語や軍人勅諭を読んでもすぐにわかることであるが、こうした国家のプライドは当然国民一人一人のプライドとなって、いい意味でも悪い意味でも間違いなく国家維持の支柱になってきた。

このプライドと誇りが、今回の敗戦によって一気に破壊、消滅してしまった。

筆者は、戦後の日本人が大きく変わってしまった理由の一つがこの国家としての誇りとプライドの消滅にあったと考える。

次に戦後の日本人の大きな変化は、今次大戦のために犠牲になった人たちへの尊敬の念が消え失せてしまったということである。

今次大戦で日本人は何百万と亡くなった。

これは何も直接戦いのために亡くなった兵士たちばかりではない。

原爆で亡くなった人も満州、シベリアでソ連のために命を奪われた人も、空襲で死んだ人もすべてを含んでの話である。

今回の大戦で亡くなったこうした何百万の人たちに対して、同じ国民でありながら戦後、尊敬と感謝の念を持って接した人たちがどれほどいたであろうか。

筆者は、ほとんどいなかったのではないかと思う。

こんな馬鹿な話はない。

この度の戦争を戦った日本人をはじめとして、戦争のために亡くなった人たちはみんな日本のために犠牲になった人たちばかりなのである。

そうした人たちに尊敬の念を持って接することは、人間として当たり前のことである。

ところが戦後の日本人はそれをやらなかった。

まるで他人ごとのような意識だったのである。筆者はこれほど人間として情けない思いをしたことはない。

それはある意味では、戦後の日本人は米国の占領政策にまんまと乗せられてしまった結果であると言えなくもないが、それにしても戦後の日本人のあり方は絶対に間違っていると考える。

次に第三として、日本人の大きな問題は「国家意識の消滅したこと」である。

それは、米国から与えられた憲法を後生大事に守り続けた戦後の政治家にも責任の一端があるであろうが、ほとんどの国民から国を守ろうとする意識が消滅した事も大きな原因であると思う。

今、日本の周辺を見回せば、折あらば日本に侵攻しようとする国ばかりである。

しかし日本には、建前上ではあるが軍隊はない。

さらに言えば、日米安保条約の名のもとにずっと米軍が居ついてしまっている。

まさに米国の「核の傘」があるから、どの国も手を出さないだけの話である。

国家として、これほど情けない話はない。

なぜ自分の国は自分で守ろうとしないのか。

自分の国を自分で守ろうとしないようなことでは、日本国民として恥ずかしい。

一日も早く日本に合った憲法に改正して、自分の国は自分で守れるような日本となってほしい。

これが現代に生きる日本人としての務めだ。

に等しい。

「平和」「平和」と唱えているだけで平和が来ると思っているのは、口先だけの空念仏を唱えている

本当に現在の平和をいつまでも維持したければ、まず自分の国は自分で守るための軍隊を持つことが第一である。戦争に敗れるということは、国民の当然持つべき常識すら失ってしまうことだからだ。

しかし、現在の少しばかりの経済的安定にどっぷりと浸かったまま惰眠を貪り、半ば満足しきった国民を目覚めさせるには、よほどしっかりとした政治家が出てこないことには駄目なように思われる。

(五) 平和主義に現実性はあるか

昭和二十九年一月一日のある新聞の社説は「不戦を誇る国であれ」というものであった。

要するに「先の大戦で日本は戦争のみじめさを嫌という程知った。今後は武力ではなく『平和』を掲げて不戦を誇る国でありたい」

という主旨である。

私たちはこうした論説を読んでどう思うか。表面的には「全くその通りだ」と同調はするものの、腹の底では「何を寝ぼけた事をいっているのだ」との思いで一杯ではないだろうか。

それはなぜか。世界の国の中で、実際にそうした論調に同意するような国はないからである。

今、日本の周辺の国々を見ていただきたい。武力を持たないで平和主義で行こう、などと考えてい

る国が一国でもあるだろうか。

ロシア、北朝鮮、韓国、中国ほか、どの国も折あらば他国に侵攻しようと考えている。

これは何も今に始まった事ではない。世界史始って以来、それが人間の本能であり習性である。

だから日本国憲法の前文にあるような「平和を愛する諸国民の公正と信義に信頼して、われらの安全と生存を保持しようと決意した」といった文章などは、まさに空念仏以外の何ものでも無い。

そうした現実に目を瞑(つむ)ってただ只管(ひたすら)「不戦を誇る国であれ」といわれても、「あゝ、そうですか」と納得するような事は絶対に出来ない。

ところで最近筆者は、戦後七十余年を経てこうした事を充分承知しているはずのマスコミが、今尚こうした持論に固執しているのはなぜかという事を考えている。

その結果、結局マスコミはあの大戦で正面切って軍部に正論を吐く事が出来なかった結果、今再び日本が戦前のような国に戻るような事があった時には「どうだ俺のいったとおりだったろう」と言訳をするために平和論を展開しているとしか思えなくなって来た。

それでなければ現在のマスコミの論調は理解出来ないのである。

今、日本の平和がどうして保たれているのか。

それは「日米安保条約」によって日本に米国の軍隊が駐留しているからで、それで外国も無防備な日本に手出し出来ない、というだけの話である。

こんな状態で維持されている「平和」が、本当の平和であるはずがない。

ところがこうした平和を維持するために、日本は米国にどれ程の屈辱と財産の強奪にあっているか知れないのである。

それでも尚、こうした状況を甘受しようとするのか。それではもう国家としての誇りもプライドも体面もない。

属国も同然である。

先の新聞の社説は最後のところで「武力によらない平和を求めずして安定した平和秩序は築けない」といっているがこれは反対であると思う。

しっかりとした武力があってこそ、真の平和を求める事も可能となる。

武力の伴わない平和など、国家の屈辱以外の何ものでもない。

ただここで、よく考えなければならないのは「武力を持つ」ことと「戦争をする」こととは違う、ということである。

ここで始めて、今回の戦争で日本が得た貴重な体験が生きて来る。

即ち国を守るための充分な防備は持ったまま、しかし決して軽はずみな事はしない、という教訓である。

これが日本人一人一人がしっかり心に刻むべき重要課題なのであり、筆者の言っていることは、一部マスコミのいう事とは根本的に違う。

マスコミは「無防備で平和を維持せよ」という。

しかし筆者は「充分な武力を備えた上で平和を維持せよ」といっているのである。

だから新聞の「不戦を誇る国であれ」という言葉と、筆者の主張とは、一見、何ら変りはないけれど、その内容には大きな差があるのである。

ただ口だけで「平和、平和」と唱えていても駄目だと思う。

本当の平和を求めるためにはまず米軍に帰ってもらい、日本の国は日本人自身で守るべきなのである。

ただここで、米国には米国の世界戦略があることも考えなければならない。

日本は地形上、米国の世界戦略の最前線に位置する。

いくら日本が米国に手を引いてもらいたいと願っても、今の米国の世界戦略は日本を外(はず)しては考えられない。

ここに日本の外交戦略の重要性が生ずる。

今のトランプ大統領を見ていれば分かるが、米国は米国で自分の国の事しか考えていない。

「米国第一」とはっきり言っているのである。

それなら日本も米国の立場など考える必要はない。「日本第一」と考えればいいのである。

国際社会というものはそういうものなのだ。

こうした事を考えてくると、今の日本の政治家は余りにも人が良すぎると思う。

今のままでは日本の政治家は務まらない。

世界情勢というものは、もっとシビアに考えるべきものである。

今、日本はトヨタを始めとして経済的に世界を制覇しているように見える。

しかし軍備の裏付けのない経済活動は、軍事力の強い国の餌食にされるのが通例である。

そんなことにならないよう、自分の国は自分で守る、というしっかりとした国防意識が普及することを、心から願っている。

(六) フィリピン・ベトナムの実態

本稿では近年のフィリピン・ベトナムの態度について記してみたい。

二〇一五年九月AP電によると、中国は南シナ海の南沙諸島のファイアリクロス礁を埋め立てて滑走路を建設したとある。

中国が海洋進出を加速させ南シナ海には緊張が続いていたが、二〇一六年七月仲裁、裁判所はフィリピンの申し立てに中国が主権を主張する「九段線」は法的根拠はないとの判断を下した。ところがフィリピンは、経済支援と引き換えに事実上この問題を「棚上げ」したと伝えられる。

一国の領土の主権が少しくらいの経済の支援と引き換えに簡単に棚上げされるような事は常識では考えられないが、フィリピンは平気でそれをやってのけたのである。

そして同様にベトナムも対中融和に傾き、対立構図は様変りしたと伝えられる。

筆者はこの記事を読んで表面的には経済支援に屈したかに見える報道も、実際には中国の軍事力に恐れをなして屈服したのではないかと考える。

たとえ小国といえどもこれくらい情けない話はないのではないか。

先の大戦で後進国日本が米国の圧力に対抗して自国のプライドの維持のために敢然と米国との戦争にいどんだ経緯を頭に思い浮かべても、やはり日本は立派であったという思いにかられると同時にフィリピンやベトナムはやはり国家の体を成していないのではないかとの思いを、強く抱いたのであった。

不幸にして日本は敗戦の憂き目をみたけれども、国家、民族としてのプライドを貫き通したという面から見れば、今のフィリピンやベトナムなど問題ではなく実に立派な国家であったと考える。

現在、中国は南シナ海ばかりでなく日本近海においても自国の勢力拡大のために理不尽な行動を平気で行っている。

それに対して我が国はただ防戦一方であり、何ら強硬な処置を取る事もない。

しかもそうした事は中国だけではなく韓国も同じである。

竹島や尖閣諸島の現状を見てもこんな事でいいのかといった腹立たしさを感じているのは、一人筆者だけではあるまい。

ではこうした事が現実に平気で行われる原因は一体何であろうか。

それは中国や韓国が持つ「軍事力」である事は論をまたない。

フィリピンやベトナムが中国の経済支援を前にして自己の主張を閉ざすようになったといってもそれはあくまで表面的な事であって、実際は中国の軍事力に恐れをなしている事とこうした軍事力を背景とした恫喝に両国とも手も足もでないというのが本当のところであろう。

一方日本はどうか。

これも中国や韓国の軍事力に日本自体が本気で対抗しようとする姿勢がない事に足元を見られている結果であり、平和主義を標榜する日本が中国や韓国から舐められている証拠なのである。

ただ中国や韓国がこれ以上手出しをしないのは日本に米軍が滞在しており、こうした米軍を前にしてはこれ以上手出しは出来ない事をよく知っているからである。

これが日本だけだったらもっと悲惨な事になっている事は火を見るよりも明らかである。

そうした意味においても国家というものは最低不可欠の軍事力を備えていなければならない事は常識である。

それさえも出来ていない国は国家としての資格さえ備えていないといってもよい。

今、経済的にゆとりのある日本は何か事があるとすぐ金で解決しようとする。

例えば自動車業界などで不備が起きたりするとすぐ金で解決される。

ところが米国始め各国の要求額は、日本の常識をはるかに越えた多額な要求額である事が多い。

これは日本が、いや企業が金を持っている事を見越した理不尽な要求である事が多く、ぶったくりであるといってもいいような状態である。

国家として武力を持たない日本の企業はそれが理不尽なものである事は重々承知していても、軍事力を持った強国の前には手も足も出ずすべてご無理ご尤もの状態になってしまうのである。

いくら日本が世界に冠たる経済大国だといっても軍事力の前には実にはかない小国に過ぎない。

こうした事は筆者が今ここで記しているだけではなく既に過去においていくつも例があり、その度に私たちは切歯扼腕、実に悔しい思いをして来たのである。

このように経済的といえども軍事力の前では実に無力なものである事が分かって頂けたと思う。

今後日本が世界的な経済力を維持するためにも軍事力は重要な裏付けとなる。

ただ単に「平和」「平和」と唱えている一部マスコミの現状を見ていると一体彼等は本当に「平和」を希求しているのか疑わしくなって来る。

今次大戦中に軍部の後押しをして国民をあおりにあおったマスコミが、今また今後の日本の行く末に大きく手を拡げて「平和、平和」と叫んでいるのをみると、形は変わってもマスコミのやっている事は何時の時代も同じ事なのだと感ずる。

今マスコミがやらなければならない事は何か。

日本の本当の平和はどうしたら得られるのか。

今こそマスコミは真の平和に目覚める時ではないであろうか。

日本の国民もここらあたりの事をしっかりと自覚しておかないと、再び同じ過ちを繰り返すのではないか。

(七) 国の主張は災いを招くのか

平成二十九年七月二日付の中日新聞「視座」欄に哲学者の内山節氏は「主張する国は災い招く」との一文を書いている。

これを読むと国家や政府というものは主張を持ってはいけないと説いている。

そして個人としては個性的に生きよといっている。

しかし筆者はそうは思わない。

個人として個性的に生きる事は自由だとしても、国家や政府までしっかりとした方向性を示せないような事では国家としての存在さえ危うくなってくるのではないか。

筆者が別のところでもたびたび指摘していることは、個人と国家とは考え方も方向性も違っていて当たり前だという事である。

個人は常に自己の安寧と安全を願う。

しかし国家は必ずしもそうではない。

国家はまず国と国との争いに負けないように万全の準備と用意をする。

それは一瞬の国家の油断が即国民全部の幸・不幸に直結するばかりではなく国家の存亡にも関わってくるからである。

国際問題や国際関係は理想国家間の友情が通用するような生易しい社会ではない。

極端な事をいえば一瞬の油断が国家の滅亡に繋がっていく事も決して絵空事の話ではない。

こんな事は世界史の中の国家の興亡の歴史をみれば一目瞭然の話である。

そして外国に侵略された国家では、民族そのものが滅亡の憂き目にあっている事は歴史が示す通りである。

それでは国家がそうした運命を辿らないようにするにはどうするか。

それにはまず国家の方向性と現状をしっかりと差し示す事である。

ここに政治家の重要性が存在する。

政治家は国家の命運を握っている。

誤解を恐れずにいえば政治家は、少しくらい女性問題や金銭問題があっても、本当に国家の指針を間違ったものにしなければある程度は大目に見てもいい存在なのである。

ところが最近の日本はどうか。

まるで重箱の隅を突っつくように政治家の女性関係をほじくり出したり、少しでも金銭的な辻褄が合わないと鬼の首を取ったように攻撃するのを見ていると、日本人も情けない国民になったものだという事をつくづく感ずるのである。

これは半分は週刊誌等のマスコミにも責任がある事で、あまりに「売らんかな」の主義が行き過ぎると折角の逸材の芽をつまむ事にもなり、国民にとっては必ずしもいい事だとはいえないのではないか。

話が少し横道にそれたが筆者のいわんとするところは、政治家の使命は最も正しい日本の行き方を指し示す事とそれを実行するために全力を尽す事だということだ。

そして日本というものをどういう方向に持っていくか。

どういう方策を取ったら日本国民のためになるかをしっかりと指し示す事である。

その結果、当然国家としての主張を示す事になり国民の賛同を得る政策となる。

そうした政党の主張と方向性が国民に示されて初めて、その政党なり政治家を支持する事になり国家が運営されていくのである。

だから内山氏がいうように「主張する国家は災いを招く」事にはならないのである。

むしろ反対に国民の意向を充分踏まえて国家としての方向性をしっかりと指し示し、外国に一歩も引けを取らないような戦略を実施する事こそ正しい国家の在り方だと思う。

だから今回の内山氏の論文「主張する国は災い招く」の意見には正面から反対である。

世界政治というものがどんなに厳しく冷酷なものであるかは今更ここで筆者が申し述べるまでもない。

紙上の綺麗事が通るような生易しいものではない。

そんな事は今更ここで並べ立てる事もない程の常識である。

トランプ大統領は就任早々「米国第一」を口走った。

自分の国さえよければ他の国などどうでもよいといったのと同じである。

また北朝鮮は他の国の事などお構いなく自国の強化のために連続してミサイルの発射を繰り返している。

また中国はと言えば周辺国家の迷惑も何もあったものではなく軍事国家としての拡張を続けており、ロシア・韓国といえば自らの都合で平気で国際条約など無視するような国であり、どの国をとっても信頼するような友好国は一つもない。

これは友好国はないというより国際社会というものはそういうものだという事である。

そうした現実の中にあって「国やそれを司る政府は、主張をもってはいけないのである。」などの主張は私には空理空論の域を越えて日本人として失格ではないかとさえ写る。

一国を束ねるという事は実に難しい事だ。

それは国民全てがそれぞれ違った意見を持ち、思いを持っているからである。

それを政治家は、国民の総意を汲みながら外国に伍して絶対に引けを取らない国家に導いていく義務があるのである。

こんな難しい仕事はない。

国民の全てという事は無理だとしても、国民の大半がついて来てくれるような政策を掲げ諸国の間にあっても決して引けを取らないプライドと自尊心に溢れた国家として堂々とやっていけるような国家でありたいと願う。

最近の日本のマスコミは必要以上に日本を蔑み国家の尊厳を台無しにしているような感さえある。日本人が敗戦から立ち直る第一歩はまず自分の足元から考えていかなければならないと思う。

(八) 北朝鮮の金正恩委員長の思惑

この数年、北朝鮮の金正恩朝鮮労働党委員長は、米国を仮想敵国として次から次へと核・ミサイル開発を続け、さしものトランプ大統領もまんまと餌食となり、今や一触即発の危機に立ち到っている。当初、筆者は金委員長が、ロシアや中国の手先きになって米国に挑発を吹っ掛け小国の存在感をアピールしているような印象を持っていた。

ところが金委員長は本気で米国に喧嘩を吹っ掛けるようになり、今や同盟国である中国とも関係が思わしくなくなり、かろうじてロシアとの関係だけが良好といった状態になって来た。

しかし米国にしてみれば、これだけ小国に足元をみられていいようにあしらわれ、ただでさえ「米国第一」を旗印に大統領に当選した自尊心の塊のようなトランプ大統領が、「もうこれ以上は許しておけない」といった怒りにカッカとなり今や堪忍袋の緒が切れる寸前となっている事は誰の目から見ても明らかである。

本音を言えば米国は今ここで戦争をやっては国力が大きく傾くことは百も承知である。それだけにできれば小国といえども北朝鮮などと戦争を始めたくない事は当たり前のことである。

しかも北朝鮮の後には中国・ロシアが控えている。

いくらソ連との冷戦に勝利を得たといっても長期的にみれば米国の国力は衰退の方向に向かっている事は明らかである。

いかに大国とはいえいつまでも世界を制覇出来るわけがない。

こうした事からいくら相手が小国といえども米国は北朝鮮に軽々しく手を出せないわけである。

このあたりの事を北朝鮮は充分に計算した上で米国の足元をみているのである。

だから米国にしてみれば北朝鮮に手を出す前に中国やロシアと裏面で何回も会談を重ねいざという事態になってもあの朝鮮戦争の時のように中国と全面戦争になるようなことがないように慎重に交渉を重ねていると思う。

北朝鮮はそうした裏面の工作を充分承知していながら次から次へと核やミサイルの開発に精を出し、今や米国にまで届くようなミサイルを開発したと豪語している。

これだけ引っかき回されては米国もたまったものではない。

国家の面子は丸つぶれである。

言葉は悪いがトランプ大統領は金委員長に侮られているといってもよい。

ここに至って米国も堪忍袋の緒が切れて、今にも米朝戦争が勃発するのではないかとの懸念さえある。

マスコミ等の予想によれば戦争が始まればロシアや中国が本気で手を出さない限り米国の一方的な勝利に終わり、金委員長は目下あまり関係が良好でない中国ではなくロシアに亡命し、既にその亡命先も決まっているとの報道さえある。

さて筆者がここで考えるのに金委員長はなぜこれ程までにして米国と徹底的に争うのかという事である。

結論を先にいってしまえば北朝鮮は既に核を保有しているからではないか。

現在世界で公然と核兵器を保有しているのは、米国、英国、仏国、ロシア、中国のあの大東亜戦争に勝った五か国に過ぎない。

他の国は持っては駄目というのが彼等の言い分である。

こんな馬鹿な話はない。

世界平和を脅(おびや)かす核兵器を止めようというのであればこれらの五か国がまず最初に止めるべきである。

それでこそ初めて世界から核が無くなるのである。

それを自分たちはいいが他の国には持たせないなどという事は身勝手も甚(はなは)だしいと言わなければならない。

北朝鮮がそうした事に怒りを現わし「お前たちが捨てなければ俺も持つぞ」という事で、核の開発に全力を挙げたと思う。

かくしてどんな理由があるにせよ、最後に米国との戦争という事になれば結局国は潰され自分たちは亡命という事になる。

そんな結果がはっきりと分かっていながらなぜ金委員長は米国にとことん刃向かうのであろうか。

筆者は前著『日本の進路』でも書いたように、国家というものは自国の利益即ち国益を第一に考えるものだと考える。

外国の事など絶対考えてはいないのである。

それが国家というものである。

ましてや今の米国の大統領であるトランプ氏は「米国第一」を旗印に選挙を戦い国民の支持を得て当選した大統領である。

今米国は一国で全世界を相手に戦っても絶対に負けないといわれるくらいの軍事大国である。

その米国の弱みを横目に見ながらとはいえ、とことん米国を怒らせ最後は自国までも滅亡させるような事が分かっていながら米国に対抗しようとしている今の北朝鮮を見ていると、「一体あなたは何を考えているのか」といいたい気持で一杯である。

マスコミ報道によれば北朝鮮が消滅してしまった後、結局はその後始末は中国かロシアがやる事になるという。

そんな事になったら日本の安全保障にも重大な危機が訪れるばかりか、日本の自主独立さえ危うくなってしまうのである。

それにしても現在の日本はこうした切羽詰った隣国の国際情勢を前にしても、いまだに「平和、平和」と馬鹿の一つ覚えのような事を唱えているのを見ると「日本よもっとしっかりせよ。そして周辺国家の状態をはっきりと把握して、日本としてもっともっと現状に即した国家となるようにせよ」と叱咤せずにはいられない気持ちで一杯である。

（九）日韓合意問題

先に安倍総理と朴槿恵（パククネ）大統領は日韓首脳会談において慰安婦問題で合意に達し、日本は本来支払う必要のない十億円という大金を出してまで解決の道筋をつけた。

ところがその後韓国は、文在寅（ムンジェイン）大統領になるやたちまち前言を翻し、さらに日本に謝罪を求める態度に豹変した。

これくらい日本を馬鹿にした態度があるであろうか。

国と国との合意はたとえ政権が代わっても引き継がれるのは当然の事である。

安倍首相は直ちに「合意は国と国との約束であり、それを守るのは国際的かつ普遍的原則だ。韓国側が一方的に更なる措置を求める事は全く受け入れられない」といって拒否する考えを表明したが、当たり前の事である。

韓国は一体国際間の約束事をどう思っているのか。

これでは日本を足蹴（あしげ）にしたも同然である。

これまでは日本は韓国の勝手な言い分にも随分我慢に我慢を重ねて来た。

ところが韓国の態度といえば見ての通りの為体（ていたらく）である。

いい加減に日本の堪忍袋の緒も切れる寸前であろう。

文在寅政権になって韓国は、米国や日本の同盟関係を振り切って急速に北朝鮮との接近を計っている。

米国が北朝鮮の金正恩のやり方に怒って戦争を始めるような事になれば、韓国は一夜にしてソウル始め全土が火の海になるのは自明の事である。

そうした事態を少しでも避けたいために、韓国は恥も外聞もなく北朝鮮に急接近しているという事は分かる。

しかし韓国がそうした状態であればある程、日本や米国との結び付きを強くして当然ではないのか。それを日本を敵に回すような事を平気でやっていていざとなった時、日本や米国が韓国を見殺しにするような態度に出たとしたらそれでいいのであろうか。

いざとなっても日本は韓国など助けに行けない。

ましてこの度のように日本を敵に回すような背信行為を平気でやるような国に、誰が友好的な心情を持つものか。

第一日本国民が許さないであろう。

こうした事を考えると韓国は自分で自分の首を締めているようなものではないか。

しかしそれも韓国自身が選んだ道だから勝手であろう。

今度は米国の立場はどうであろうか。

これまで米国は北朝鮮にはさんざん足元を見られ、とても戦争などやれるような状態ではないと馬鹿にされ、いいようにあしらわれて来た。

北朝鮮に対しては今やトランプ大統領も忍耐の限界まで追い詰められて来ている。

こうした周辺事情の中にあって韓国が北朝鮮に急接近し、しかも同盟国である日本までも敵に回すような行動は果たして韓国にとって国益になる政策といえるであろうか。

それは、いくら同盟国の間といえども同じである。

それをトランプ大統領は、声高に明らさまに叫んで大統領に当選した。

これが本音なのである。

自国の国益を考えずに一国の指導者が勤まるはずがないしそれでは国民はついて来ない。

ついこの間までは世界の動きの中心はヨーロッパであり中東であった。

ところが北朝鮮は米国相手に自国の主張を貫き、何とか米国を自国と同じ話し合いの場に引きずり込もうと必死の戦略を展開中である。

核を含む各種ミサイルの発射実験も、米国を話し合いの場に引きずり込もうとする戦略の一端に過ぎない。

こうした北朝鮮の明らさまな挑発を前にして米国はすぐには手出し出来ない。

なぜなら北朝鮮が既に核開発に成功したのではないかと考えられ、また背後には中国とロシアが控えているからである。

米国はロシアとの思想戦において一応の勝利は収めた。

しかしそれは軍拡競争と思想戦に勝利を収めたという事であって、実際にロシアや中国と戦火を交えたわけではない。

実際に戦争という事になるとそれは第三次世界大戦の勃発という事になり、世界中を巻き込んだあの第二次世界大戦の二の舞いになってしまう。

そうなれば再び世界中で何百万人の犠牲者が出る事になる。

これだけは米国もロシアも中国も、何としても避けたいのは当然であろう。

ところがここで、そうした思いを持つこれらの大国の足元を見透すように、北朝鮮が大博打を打っている。

あわよくば自国の軍事力を拡大し、国際社会での発言権を拡大しようとしているのは明らかである。

こうした北朝鮮の国策に対して米国、即ちトランプ大統領はどう対処しようとしているのか。

国益と面子の掛ったこの重大場面にどう立ち向かおうとしているのか。

本年の世界の動きは地球規模の大きな転換点になると思う。

こうした中にあって我が国はあくまで自国の事を中心に考え、国民と国家の安全のためにあらゆる事態に対処していかなければならないと思う。

韓国始め周辺諸外国がどんな勝手な事を言っても言わせておけばいい。

日本は日本の事を考えればいいのである。日本を「核の傘」の中においている米国も自国の戦略の転換等でいつ何時日本を引き揚げる事になるかも知れない。

そうした時にもしっかりと対処する事が出来るよう、今から「日本の進路」を決めるべきであろう。
（注）二〇二一年一月、トランプ政権はバイデン政権に変わった。

（十）裏切られても裏切るな

人生永い間にはいろいろな事がある。

永年の親友に裏切られる事もあろうし、自分自身で裏切る積りはなくても、結果的に裏切っている事もあるであろう。

しかし筆者は自分の人生の歩みの中で裏切られる事はあっても「裏切ってはいけない」という事をモットーとして生きて来た。

それは人間の生き方として当然の事であるし、男として人を裏切るほど卑劣な事はないと考えるからである。

歴史上も人の裏切り行為は至るところで展開されて来た。

例えば我が国で最も大きな裏切り行為は、あの関ヶ原の合戦の時、西軍の主要な武将でありながら家康の誘いに負けて自軍を裏切り、遂に徳川家の天下にしてしまった小早川秀秋であろう。

秀秋は天正十年（一五八二）秀吉の妻・ねねの兄である木下家定の五男として生まれた。

子宝に恵まれなかった秀吉の寵愛を一身に受けて中納言に任ぜられ、「金吾中納言」と呼ばれて異例のスピード出世を果たした。

ところが淀君に秀頼が生まれてからは一変して秀吉に疎んじられるようになり、文禄三年（一五九四）小早川隆景のもとに養子に出される事になった。

そして慶長三年（一五九八）、秀吉は伏見で六十二歳の生涯を閉じた。

その後、慶長五年（一六〇〇）、関ヶ原の合戦を迎えたとき、三成と家康の両方から内応の工作を受け、結局、最後には大恩ある主家を裏切って自軍である大谷吉継に向けて発砲し、東軍勝利の切掛けを作ってしまったのである。

この小早川秀秋の裏切りにより関ケ原合戦の勝敗の行方が決まってしまったばかりでなく、その後の日本の歴史が豊臣から徳川政権へと大きく流れることとなり、徳川三百年の基礎を築くにいたる重大行為であったといってもよいものであった。

このように人間の裏切りというものは、立場と場合によっては一国の歴史そのものを変えてしまうほどの大きな出来事となる。

西洋ではカエサルを裏切ったブルートゥスの例があり、これは「ブルートゥスよ、お前もか」の言葉で広く世界の人々に知られた事件である。

これらの事例はともに、当然「義」を立てなければならない人物が主家を裏切った行為として史上に悪名を轟かせるものであった。

なかでも身近な現代日本人の体験として、あの大東亜戦争の終結時、満州やシベリア、北方領土でソ連が日本に対して取った行為こそ、実は未来永劫絶対に忘れる事が出来ない、まさに史上最大の裏切り行為であったといわざるを得ないのである。

終戦時の日本は、ソ連との間で「日ソ不可侵条約」を締結していた。

ところがソ連は、日本が八月十五日のポツダム宣言によって敗戦国となり、この時点ですべての武器をおき敗北を表明したにもかかわらず満州に攻め込み、無抵抗の日本兵をシベリアに連行して厳寒の中で働かせ、何万の人たちを死に追いやった。

つい最近、我が国はこれだけの重大な裏切り行為に合っているのである。

さらに日本は北方領土に攻め込まれ、現地にいた日本軍の必死の抵抗がなければ今頃は、北海道もソ連領になっていたかもしれないのである。

今の日本ではこうした事はまだまだあからさまに言えない雰囲気が強く、一部識者が書き記すだけであるが、今後何十年、いや何百年経とうとも絶対に忘れてはいけない事実なのである。

またそのソ連においては、近年八月のクーデターの折、自分を裏切ったルキヤノフ最高会議長に対してゴルバチョフ大統領が「四十年間に亘っての友人だったにもかかわらず、私が最も困難な時に彼は私を裏切った」と激しく非難した。

こうした例を見るまでもなく私たちの周囲には、国家によらず、個人によらず「裏切り」は日常の事として存在する。

それはなぜかといえば、結局、人間社会というものはそういうものだと突き放して考えるより仕方がないような気持ちになってくる。

しかし敢えて言えば、それこそが人間というものの本性によるものではないであろうか。

即ち、
①人間の本性というものは所詮そういうものだ、と割り切るほかないのではないか。
要するに人間というものの持つ「執念」なのである。

『広辞苑』によれば「執念」とは、思い込んで動かぬ一念。執着して離れぬ心、とある。

この執念が強い人間程過去の経験や体験を忘れ切れずに、それが時に「裏切り」となって現われたりするのではないか。
②次に考えられるのは何といっても人間の「弱さ」であろう。
国でも個人でも人間が形成する社会である以上人間の持つ「弱さ」にはなかなか打ち勝つ事が出来ない。

この人間が持つ「弱さ」が時に「裏切り」となって表面化する事は容易に想像がつく。

③そして第三にはこれも人間の本性の問題であるが、人間には「意地」というものがあってこの「意地」は容易に左右出来るものではないという事である。

以上、これらの要因が重なって裏切り行為となるように考えるがどうであろうか。

冒頭筆者は「裏切られても裏切るな」といった。

しかし私個人の本音を言えば「裏切られたらこちらも裏切るのではなく、そうした事実は忘れないことだ」と考える。

その方法には色々あるであろう。

こうした事は個人間では無理かもしれないが、国家間では必ず出来る事だと思う。

今、筆者が何を言いたいか賢明なる読者諸兄ならきっと想像して頂けると思うが、あの終戦時の日本人としての恨みは決して忘れてはならない重大事だと思う。

第二章　国家〔二〕

（二）沖縄での米軍ヘリコプター不時着

沖縄では今月に入って（二〇一八年一月）、米軍ヘリコプターの不時着が三回も起きた。沖縄県民の強い反発の声を受けた政府は米軍に対し何度も抗議したが、米軍の態度は平気の平左である。

平気の平左どころか米海兵隊のネラー司令官などは「海外での航空機の不時着のニュースが流れているが、率直に言って不時着でよかった」などと言っている。

そして「誰も負傷していないし、航空機も失わなかったので心配していない」と述べ、さらに飛行訓練が必要との認識を示したと伝えられる。

これに対して日本政府は飛行停止要請を繰り返しているが、全く無視されているのが現状である。

こうした事態を受けて二〇一八年一月二十六日の中日新聞は

在沖縄米軍トップはこの事態を「クレイジーだ」と評していると述べ、日本では政府の管理権は米軍基地内に及ばないが、イタリアでは同国軍が米軍基地の管理権を持つ。

といっている。

要するにイタリアは米軍基地の管理権を持っているが、日本にはそれがないということである。

これは何を意味するのであろうか。

はっきりいえば、日本は米国の「属国」だという事である。

一国の主権すら認められていないという事である。

安倍首相は衆院本会議で「戦後七十年以上を経た今もなぜ沖縄だけが大きな基地負担を背負い、米軍の事件・事故により安全が脅かされるのか」と言っているが、日本が軍事力を米国に頼っている限り、こうした事態は何度でも繰り返される事であり、米国は何ら反省の片鱗もみせないのである。

地図を見て頂ければわかるように沖縄は極東戦略上重要な位置にある。

これは仮に日本が主権を回復しても変らない運命的な位置であるといってもよい。

しかし〝米国占領下〟での位置付けと、日本主権下での位置付けとでは、そこに雲泥の差があるのは当然の事であろう。

今、日本人は生活が裕福であるために、自分の目先だけしか見えていない。

したがってどんなに国家としての主権を侵害されようが、外国の属国並みの状態であろうが、何とも思わない国民性になっている。

そして「平和」「平和」と唱えていれば、平和が維持されると勘違いしているのである。

いくら目先だけの平和とはいえ、外国に頸根っこを押さえられたままでの平和であっていいものか。

もうこの辺でしっかり現状に見切りをつけ本来の主権国家に立ち戻る時であると思う。

それにはまず第一に、憲法を改正する事である。

どんな理屈を付けたとしても日本の憲法が米国の押し付け憲法であるのは明白な事実である。

米国は日本を再び立ち上がらせないようにするために、美辞麗句を用いて日本に憲法を押し付けた。

そして東京裁判までやって日本の手足を捥ぎ取ろうとしたのである。

ところがその後、世界情勢はこうした政策を不可能にするような方向に進んでしまった。

それは朝鮮戦争や米ソ対立の経緯を見れば明らかな事である。

従ってこの戦後七十余年の間には、すでに何度か、日本が自分の行き方を変えるべき機会があったのである。

しかしそれが出来なかったのはなぜか。

それは戦後の日本人に、左翼思想に固まった人たちが増えたからである。

しかもそうした人たちはインテリに多く、日本の指導者層に大きな力となって残った。

こうして日本人の思想は右派と左派にはっきりと別れ、今に至っている。

しかし、世代も大きく変わって来ているし、日本の周辺事情も理屈だけでは通らなくなって来ている。

今の日本にとって一番重要な事は何か。

それは日本の国益を第一に考える事である。

そして第二には自分の国は自分で守るという当然の事を実行に移す事である。

あのトランプ大統領でさえ「米国第一」を掲げて大統領に当選した。

世界中どんな国であっても国益を第一としないような国家はない。

ただそれを、いかにうまく実行していくかの問題だけなのである。

そして自国の防衛を他国に頼っているような事では､外国の「属国」であると言われても仕方がない。

自分の国は自分で守る。これは当たり前の事である。

日本人は領土を外国に取られてしまっても、今の自分に関係がなければ何とも思わないような情けない人種に成り下がってしまっている。

これではいけない。

今の日本の平和は米国の「核の傘」の下での平和であって、日本人自身が築き上げた平和ではない。国民の大半は目先が〝平和〟であればそれでいいと思っているかも知れないが、それは違う。自分の国は自分で守って勝ち取る平和が本来の平和である。

軍事力のない国家や弱い国が結果的にどうなっていくかは、少し歴史を繙けば分かる話である。軍事力が弱い国は国家の尊厳さえ危うくなってしまうのである。

外国に馬鹿にされない国家の建設こそ現代の日本の急務だと考える。

(二)「米朝首脳会談」に思う

二〇一八年六月十二日、トランプ大統領と北朝鮮の金正恩朝鮮労働党委員長がシンガポール南部セントーサ島のホテルで会談した。

この会談が実現するまでの米朝双方の駆け引きは凄まじく、双方ともに脅し合いの連続であった。

終局的には会談は実現したわけであるが、筆者はこの会談実現までの経緯を見ていて国家間の交渉というものは個人の交渉とはあまりにもかけ離れたものであるという事を、つくづく感じたのであった。

結果的に北朝鮮は米国の足元を見据えていたのであり〝大国〟米国もこれ程〝小国〟北朝鮮に足元をみられた交渉をされては米国の権威も威信もあったものではない。

一部の新聞には〝金正恩の勝利〟と書いてあったが、見方によればまさにその通りであったかも知れない。

筆者はこの会談実現までの経緯を見ていて、米国もつくづく落ち目になったものだと感じざるを得なかったのである。

ここ数年、北朝鮮は弾道ミサイルの実験を繰り返し、一部では核実験成功の見通しさえ論じられるほどであった。

これに対し米国はといえば、今にも北朝鮮をぶっ潰すかのような言動に終止し、空母二隻を北朝鮮近海に派遣して臨戦体勢すらとった。

しかも韓国とは米韓軍事演習を繰り返し、何が何でも北朝鮮を押さえ込もうとしているかのような見幕であった。

一方、北朝鮮はこうした米国の脅しの中にあっても冷静に米国の足元を見ていたように思う。

米国は今、中近東状勢の対応に手一杯で北朝鮮と事を構えるとなれば、中東、極東両面作戦となりそんな事になれば北朝鮮は滅亡するかも知れないが米国の国運も衰退への一歩となり、やがては〝世界の警察〟の地位も捨てざるを得なくなるのは火を見るよりも明らかだ。

北朝鮮はそれらの事を踏まえ、米国の出方を見ながらトランプ氏が何を言ってもこちらに軍事力を向ける事は出来ない、と踏んだのであろう。

今回の米朝会談までの経緯を見ても北朝鮮に非核化の確証はない。

北朝鮮が会談前に核施設を破壊したと言ってもどこまでが〝本当の破壊〟であったか分からない。

トランプ氏の、会談直前になってから「この会談はもう止めた」と言ってみたり「米韓軍事演習を強化する」と言ってみたり、腹にもない事を繰り返す姿をみていると、何と情けない大統領なのかと思わずにいられない。

それは会談冒頭で正恩氏が「完全非核化」を約束したと言っている事でもわかるし、トランプ氏がいち早く「体制を保証する」と言ったのをみても歴然として分かる事である。

ここのところの米国と北朝鮮との軋轢も、「北朝鮮の核保有を認めない」ことが前提ではなかったのか。

その一番大事な前提条件をあっさりと捨てて「段階的になくす」というような事を認めるようでは、これは完全に米国の敗北と取らざるを得ない。

口先で強がりを言っていても米国の本心は全く逆で、実は中東を相手にするだけで精一杯、とても極東との二面作戦を同時に行う事など出来ない、という証明のようなものである。

まさに米国は北朝鮮に手玉に取られたも同然の首脳会談であった。

しかしそれにしても今回の米朝首脳会談を見ていて筆者は、国家というものはどんな場合でも「国益」を第一に考えるものだという事を痛感した。

北朝鮮だってまず国益を考えれば、核を持たなければ米国に対等に物が言えないと、百も承知している。

そして同じ事は中国やロシアに対しても言えるであろう。

核の後ろ盾があってこそ、米国を対等の場所に引っぱり出せるのである。

それを全て承知の北朝鮮は、米国が何と言おうが何をやろうが、自国の独立と存在感のために強引に核実験をして来たというのが実状であった。

米国も北朝鮮の企図は百も承知である。

北朝鮮に力をつけさせないためにもあらゆる手段を用いて締め付けて来た。

しかし北朝鮮もさるもの、米国の言っている事と実体を冷静に判断して対処して来た。

そして今回の会談になったわけであるが、米国にしてみれば最初から北朝鮮などは問題にしていなかったはずである。

ところが実情はそうではなかった。

米国も口と腹では全く正反対の状態であり、結果的に北朝鮮にいいようにされてしまったといってよい。

それにしても今回の件で筆者がつくづく思ったのは、日本人の考え方の甘さである。

国際関係というものはこのようにシビアなものだ。

それに比して日本人はどうか。

今、目先が平和であれば、それがどんなに矛盾に満ちた平和であっても満足している。

特にマスコミの在り方などは呆れて物が言えない。

国際状勢というものは実に厳しく、しかも時に激変する。

一国の安全と平和は自分自身で守る他はない。自国の国益は自身で守るものなのである。

この点をしっかりと国民に語り掛ける事こそ、マスコミの使命だと考える。

（三）続「米朝首脳会談」に思う

今回の米朝首脳会談を見てつくづく感じたのは、米国も北朝鮮も自分の事しか考えていない、という事である。

会談前、トランプ大統領は何と言っていたか。「会談冒頭で北朝鮮が非核化を認めなければ、直ちに席を蹴って帰る」である。

それが実際の会談になってみると席を蹴るどころか、北朝鮮の求める「段階的」非核化をあっさり認めてしまった。

こんな事なら初めから大きな口を叩く必要などない。

トランプ氏は二言目には軍事力をちらつかせるような発言をしていたが、結局は口先だけの脅しでしかなかったのである。

しかも会談後には金正恩氏をべたぼめで、「ホワイトハウスに招待したい」とまで言っている。

こうした態度は全く持って「何をかいわんや」である。

さらに日本や韓国には、何兆円もの資金を差し出せと、とんでもないことを言う。

こうしたところをみると、まったく国家というものは自国の国益だけで動いているものであり、いかに同盟国といえど他国の事など眼中にないといってもいいと思う。

おそらく今回の米朝会談を見ていて日本人は「なんだ、米国だって口と腹では全然違うじゃないか」と思った事であろう。

要するにトランプ氏などは、あれだ、これだと理屈をつけて日本から金を搾り取ろうとしているだけだと思えてくる。

日本は今、表面的には世界経済を押さえているような印象を受ける。

しかし米国始め世界各国から脅しを掛けられると、ほとんど無抵抗の状態である。

なぜか。

それは日本に真の意味での軍事力がないからである。

いくら経済で世界を押さえているように見えても、「軍事力」が伴わなければ、なんとも致し方がない。

世界を押さえるような経済力といえども裏にそれ相応の軍事力があってこそ、始めて充分な力を発揮するのである。

だから軍事力抜群の米国などに脅されるとすぐへなへなとなってしまう。

軍事力がないという事はこのくらい情けない状態であるのだ。

ところが今の日本の現状はどうであろうか。

マスコミ始め国民の大半が、目先の経済的なゆとりに満足し切っており、国家の事を考える人間など少なくなってしまっているのではないか。

国と国との交渉でやり取りされるのは、何億円単位ではなく何兆円単位なのである。

このための資金は、当然、国民の税金である。

国民が汗水たらして収めた税金が国際間ではいとも簡単にぶったくられるのである。

これでも日本国民は平気なのであろうか。

目先の生活に少しばかりゆとりがあろうと、どうして外国に平気で何兆円もぶったくられて平気でいられるのか。

ところが今の日本のマスコミはどうかと言えば、こうした国民の考え方に警鐘を鳴らすような論説はほとんど見当たらない。

見当たらないどころか一部のマスコミは、平和、平和と唱えていれば平和が自然にやって来るような論説ばかり繰り返している。

世界に進出出来るような経済力も、国内の平和の維持も、詰まるところは背後に強力な軍事力を持っているかどうかで決定されると思う。

軍事力を伴わない経済力や平和が決して長続きしないのは、少し世界史を繙けばわかることである。

ところが今も言ったように、現在の日本のマスコミはそうした啓蒙をほとんどやらない。

これではいけない。マスコミは「第三の権力」といわれるように、国民に対して大きな力を持っている。

そのマスコミが一向に国民への啓蒙をしないのはどういう事であろうか。

今、マスコミのしなければならない事は、先の米朝首脳会談を振り返り、以下の点を強調することだ。

・国家間のやり取りとはどういう事か。
・国家間の交渉というものは個人とは違うという事。
・国家間の交渉では軍事力が最優先するという事。
・国家というものは個人と違って「国益」を第一とし、個人間の礼儀とかゆずり合いとか相手を思う気持ち——そうした事は一切通用しない。

だから国家間の交渉においては、昨日言った事と今日やっている事が違っても平気なのである。しかも個人間の「嘘をつく事はいけない事だ」というような事は全く通用せず、嘘をつくのは日常茶飯事であり、昨日言った事と今日やっている事が全く正反対だとしても、それは当たり前なのである。

マスコミはこうした事にも率直に言及し、個人と国家とは考え方が違うものだという事を繰り返し書き記し、今の日本人の考え方を根本から変えていく必要があると思う。

新聞には時々有名大学の教授が寄稿しているのだが、そうした人たちの意見を読んでいると何を寝ぼけた事をいっているのかと思う事がよくある。

そして、今の日本人はつくづくお人好しだなあと思う。

厳しい国際社会は決してお人好しだけでは乗り切っていけないのである。

骨のある政治家の出現を心から期待して止まない。

(四) 続々「米朝首脳会談」の残したもの

二〇一八年六月十二日、トランプ米大統領と北朝鮮の金正恩朝鮮労働党委員長の会談では「非核化」そのものが実に曖昧な話となり、今後何年で北朝鮮の「完全非核化」が実現するものやら、それすらも分からない結果となった。

トランプ大統領は完全に正恩氏に手玉に取られてしまったわけである。

しかもトランプ氏は「今後、米国は一切の費用を払わない。金は日本と韓国で払え」と公言した。

その額たるや十兆円とも二十兆円とも推測されている。

こんな馬鹿な話はないし、会談前と後とでトランプ氏の発言は、百八十度の転換を遂げたと言ってもよい。

ところでここで筆者が問題にしたいのは、日本のマスコミの態度である。

筆者は、翌日の新聞を開けばてっきりマスコミ各社はこの大問題を一面で報ずるとばかり思っていた。

ところが一面どころかほとんどのマスコミがこの問題に触れていないのである。

ある新聞の翌日のトップなどは、地方の百貨店の閉店にまつわる記事であった。

これには筆者もいささかがっくりとした。

なぜマスコミ各社はこの大問題を取り上げないのか。

日頃「平和、平和」とキャンペーンを繰り返しているマスコミが、どうして日本国民の生活に直接関係のあるトランプ氏の発言を無視するのか――筆者にはどうしても理解出来ない事であった。

ところがこうした中にあって『週刊新潮』六月二十八日号では、櫻井よしこ氏がこの問題を正面から取り上げていた。

この中で櫻井よしこ氏はいう。

共同声明には「完全で検証可能、不可逆的な核の廃棄」（CVID）という言葉はない。「北朝鮮の非核化」もない。代わりに「朝鮮半島の非核化」が三度繰り返されている。

米朝会談前、トランプ大統領は会談の冒頭で北朝鮮が直ちに核を放棄すると言わなければ、私はすぐ席を蹴って帰って来ると大言壮語していた。

ところが実際は席を蹴って立つどころか、北朝鮮の非核化さえあいまいにしてしまっているのである。

さらにトランプ氏は米韓合同軍事演習を「戦争ゲーム」と呼んで中止を示唆している。中止の理由は「恐ろしく金がかかる」からだそうだ。

これでは北朝鮮に核を放棄させるどころか、初めから白旗を掲げて会談に臨んだようなものである。

この点でも櫻井氏は

安全保障戦略や軍事行動のひとつひとつを「金勘定」を基準に評価するのでは、北朝鮮の背後に構える中国に最初から白旗を掲げるようなものだ。

といっている。

こうしたトランプ氏の言動からは、最後には朝鮮半島から米軍が撤退する——という事態が推測される。

この点でも櫻井氏は

朝鮮半島からの米軍の引き揚げは間違いなく極東情勢を一変させずにはおかない。


と指摘している。

今回の米朝首脳会談を見ていると、政治家などというものは自国の国益のためにはたとえ同盟国といえども平気で裏切るという事である。

これは筆者が日頃から繰り返し指摘している事で、国と国との関係は一すじ縄ではいかないという事である。

今回の米朝会談ではっきりしてきた事は

①米国の経済力はもうどうにもならないところまで来ているという事。だから同盟国たる日本といえども裏では軍事力で脅しを掛け、何兆円とゆすり取ろうとしている。
②そうした米国のねらいの下にあって、悲しいかな軍事力を持たない日本はその脅しに屈して嫌でも金を取られてしまう。
③こうした現状に鑑みても、「今の日本の在り方は何なんだ」と強く叫ばずにはおられない。

確かに今の日本は、目先だけは平和で豊かであるかもしれない。しかしそんな平和は真の平和ではない。

米国の思惑によっていつ何時ひっくり返されるかも知れない、危うい平和である。

また国際進出であたかも世界中を席巻したかに見える日本の経済力も、軍事力の裏付けのない進出である限り、いつ外国からの脅威で金をむしり取られてもおかしくない。

こんな情けない国家が、はたして独立国といえるであろうか。

私たちは、今こそ日本の現実を冷静に見据え、どこからも馬鹿にされない国家の基盤を築くべきではなかろうか。

いくら金があったとしても、相手の脅しによってむしり取られるような事では本当の経済力とはいえないと思う。

また相手のご都合次第で、いつ何時ひっくり返されるか知れないような平和が本当の平和だとは言えないのである。

まず第一には国民の意識を変えること。

第二にはしっかりと足元を見据えることが出来る人間を作ること。

この二つであろう。

(五) ロシアとの間の北方領土問題

平成三十年九月十二日、ウラジオストックで東方経済フォーラムが行われ、ロシアのプーチン大統領が安倍晋三首相に対して「前提条件なしに平和条約を年内に締結しよう」と提案した事が、日本に大きな衝撃となって広がっている。

十月一日の中日新聞夕刊でも「デスクの眼」として常盤伸氏は「これほど侮辱的な提案は、旧ソ連のブレジネフ（共産党書記長の）時代ですら日本に行わなかった」としたロシアの改革派日本専門家、ゲオルギ・クナーゼ氏がウクライナ紙とのインタビューで述べた言葉を紹介している。

安倍首相とプーチン氏との会談はすでに二十二回に及んでいるという。

それ程安倍首相は根気よく低姿勢にプーチン氏との会談を重ねている。

それでもこの有り様である。

という事は領土問題などというものは一筋縄ではいかないという事である。

もっとはっきりと言ってしまえば、たとえ終戦直後のどさくさであろうが何であろうが、武力で取られたものは武力で取り返す以外に方法はないのではないかということである。

古来、国際紛争などというものはほとんど領土問題であり、これは歴史上の事実である。

領土問題を話し合いで解決したなどということは聞いた事がない。

しかし今の日本に武力での解決などは到底望むべくもなく、それ故、安倍首相もあらゆる屈辱に耐えてじっと我慢して交渉を続けているのである。

明治二十八年（一八九五）、日本は日清戦争に勝ち、講和条約に調印した。

ところが独露仏の三国公使は遼東（りょうとう）半島の清国への返還を付きつけてきた。

いわゆる三国干渉である。

国民は激昂した。

日清戦争に勝って国民の戦勝気分が最高潮に達している時、こんな要求を付きつけられれば激昂するのは当たり前である。

しかし当時の日本の国力としては三国干渉をはね返す事など到底出来るはずはなく、やむなく遼東半島の返還に応じたのであった。

このように国際関係の一番大きな問題は領土問題であり、その行方を左右するものはその国の武力という事になる。

こうした実情が世界の常識であるにもかかわらず日本の現状はどうかといえば、マスコミ始め日本人の大半が完全に「平和ボケ」に陥っているのである。

これは勿論、戦後の米国による日本占領政策に日本国民が完全にしてやられた結果であるのは間違いないが、それにしても日本人はもうこの辺でしっかりと眼を醒まし

・日本の現状はどうなっているか。
・米国は世界戦略の一環といいながら、結局は日本を米国の軍事基地にしているのではないか。
・こうした現状をはね退けるにはどうしたらよいか。
・満州、シベリア始め北方領土等でソ連は日本に対してどんな理不尽な事をやったか。

そうした事を一つ一つはねのけていくために今、我々は何をしなければならないか等々、政治家始めマスコミの人たちがしっかりと把握して国民に訴えていく時ではないかと考える。

先般もある新聞の「発言」欄に次のような発言が載った。

武力を持たぬ覚悟を持って

無職　67歳

専守防衛という安全保障政策も、自衛隊の存在も憲法違反だと私は考えます。

唯一の戦争被爆国で憲法九条を掲げるわが国は、平和の大切さとともに愚かな戦争をやめるよう、もっと世界に訴えていくべきです。

それでも日本が攻撃を受けたら、すぐ降参すればよいと私は思います。これこそ九条の「戦争放棄」ではないでしょうか。抵抗すると武力を交える戦争となり、多くの死者が出るかも知れません。しかし私たち国民が「絶対に武力を持たない」と覚悟していないために、日本政府は米軍などから高額な武器を買わされる事態が続いているように思えてなりません。

今や憲法を変えることに賛同する人も少なくありませんが、私のように考えている日本人もいるのです。

以上がこの発言欄に載った全文である。

筆者はこの発言を読み、六十七歳にもなって何を考えているのかと呆れてものがいえなかったのである。

こうした発言を載せるマスコミもマスコミなら、発言者は一体国家というものを何と考えているのかと、ただただ呆れるばかりであった。

この人は、武力もなしで国家というものが存続できるものだと思っているのであろうか。武力がなかったら、あっという間に他国に侵略されてしまうであろう。当たり前の事である。

筆者は今の日本人でこうした発言をする人が存在するという事は、戦後の米国の日本占領政策が完全に成功したものとみる。

またこうした発言を平気で載せる新聞も新聞ではないか。

とにかく今の日本は国民の間違った意識を少しでも正常に戻す努力が必要である。

ところが日本人の半数は完全に洗脳されてしまっている。

正常に戻すのは容易な事ではないが、今後たとえ何十年かかろうとも日本人のプライドをしっかりと取り戻す事が第一と考える。

筆者はこうした事を考えると本当に「戦争に負ける」という事が、その国の国民性を一変させてしまうものだと痛感する。

(六) 日本人の在り方

平成三十年十月十三日の中日新聞「風来語（かぜきたりてかたる）」の主筆・小出宣明氏の一文を読んで久々に「我が意を得たり」といった感じであった。

この中で氏はこう書いている。

蒋介石はラジオ放送で国民と兵士に訴えた。

「決して日本人民を敵とせず、敵軍のかつての暴行に報復を加えてはならぬ。中華民族の至高の伝統、怨みに報いるに徳を持ってせよに誇りを持て」。その結果、中国にいた二百数十万の日本軍将兵らは、一部を除きほぼ全員が十カ月以内に祖国へ復員できた。

旧満州に攻め入ったソ連軍が、五十数万人の日本兵をシベリアへ強制連行した事実と比べれば、あまりの違いに胸が熱くなる。

事実はまさにこの通りであり、日本人はこうした史実を決して忘れてはならないと思う。

ただ小出氏は続けて

一九七二年の日中国交正常化交渉が始まった際には、中国への戦時賠償が最大の難問になった。これに対し、周恩来首相（当時）はこう結論づけた。

「あの戦争責任は一部の軍国主義者にあり、日本人民はその犠牲者である。中国人民と同じ犠牲者に賠償を強いるべきではない」

と記している。

これは周恩来首相の発言であるが、筆者はこの点だけはどうも納得がいかない思いである。

周首相の発言は多分に政治的な発言であって「あの戦争責任は一部の軍国主義者にあり、日本人民はその犠牲者である」というのは大いに事実に相違していると思う。

まず第一に、戦後、マスコミを始めとする日本国内の論調では「あの戦争は日本がすべて悪い」ということになっている。

そして米国、ヨーロッパ諸国の戦争責任には一切触れていない。

しかし国と国とが戦争を始めるのに一方だけが悪いというような事が有り得るであろうか。

この問題に関しては紙数の都合もあり、ここに詳細に書くわけにはいかないが、戦後の日本人の考え方は余りにも「自虐思想」に片寄り過ぎているのではなかろうか。

筆者は戦争に「責任」問題を付きつけること自体が間違っていると思う。

さらに第二点として周首相が言うように、あの戦争は一部の軍国主義者だけがやったもので日本国民は本当に関係がなかったであろうか。

筆者はこれも嘘だと思う。

だから筆者は、周首相の発言は「政治的発言」だと書いたのである。

筆者は今回の大戦は日本国民全部が一丸となって戦ったものだと思っている。

決して一部の軍人だけが戦争をしたのではない。

緒戦に日本軍が勝ち進んだ時、国民全部が大喜びしたのではなかったか。

周首相がこうした事実を充分承知していながら
「日本人民は中国人民と同じ犠牲者であり賠償を強いるべきではない」

といってくれたのは、日本人がこうした事実をしっかりと認識した上で、中国にはソ連とは違った対応を取ってくれなければならない、と言いたいのだと考える。

ソ連に対する日本人の感情については早坂茂三氏が、『田中角栄回想録』の中で田中角栄氏がブレジネフ氏やコスイギン氏に対して率直に言った事を記している。

ただこうした中国であるにもかかわらず、最近では日本を敵国扱いする残念な国へと成り下がっているようだが、しかしこれは「共産党中国」だから仕方がないと思う。

次に第三点として筆者の見る限り、今の日本人は完全に戦後の米国の「占領政策」にはまり込んでしまっているように思えてならない。

戦後の米国は、日本を再び軍事大国にしないためにあらゆる手を打って来た。

まず憲法では日本人の頸根っこを押さえつけた。そして出来もしない理想論を並べ立てたのである。その後の世界状勢は必ずしも憲法の条文のようにいくはずはなく、あちこちで矛盾が露呈した事は誰もが承知しているところである。

そして第四は、戦後の日本人が余りにも権利意識が強くなり過ぎ、誰もが「自我」の塊になってしまったことである。

だから戦前と戦後では日本人の性格そのものが、がらりと変わってしまったような気がする。

第五には、そうした事が原因となって日本人の考え方がすっかり変わってしまい、国のために尽くした人、戦争の犠牲になった人たちに対してさえ感謝の気持ちを向けるどころか、ほとんど無関心な国民性となってしまったことだ。

こうした事を挙げていけば戦後の日本の変り様には愕然としないわけにはいかないのだが、それも「戦争に負ける」とはこういう事なんだと分かってみれば、変に自分を納得させているというのが現状なのである。

筆者はこうした日本の現状が再び正常なものに立ち直るためには、これからまだ百年くらいはかかるのではないかと考える。

「国家としての自尊心」「個人としてのプライド」「他人に思いを馳せる人間性」

こうした日本人本来の性質が還って来る日が、一日も早い事を切望する。

さて第六は、平和が続くと「国防」が忘れられてしまう事である。

一国の基本は国を守る事。いわゆる「国防」である。

それを忘れていては国家としての存在すら危うくなる。

(七) 日本の運命を決めた日清、日露の戦い

最近筆者は司馬遼太郎の『坂の上の雲』を始め「歴史人」「歴史街道」等によって、日清、日露戦争について読む機会が多々あった。

こうした本を読むと今更ながら日本という国が、よくぞこれら二大大戦を勝ち抜いて清国やロシアの属国にならなかったものだと、本当に当時の人たちに対して畏敬の念で一杯になるのであった。

どんなことでも同じであるが人間というものは結果だけをみて判断するのが通例である。

しかしそこに至るまでのさまざまな情勢というものはそれ等の事に対処した者にしか分からないのである。

明治二十七年（一八九四）、日本が清国との戦いに踏み切った時の心境はまさにそうであったろうし、明治三十七年（一九〇四）の日露戦争もそうであったと思う。

当時、日本は明治維新を迎えて未だ三十年そこそこの、目覚めたばかりの新国家に過ぎなかった。その日本が清国、露国の世界有数の大国の干渉を前にして急速に近代国家態勢を整え、これらの大国の圧力に対処するなどという事は世界の常識としてはとても考えられる事ではなく、そうかといってそれをはね返さなければ日本は間違いなく清国、露国の属国にされてしまう事は世界の常識であったのである。

この二大国に勝ったという事は世界の常識を覆す一大壮挙だったのである。

その後清国に勝った日本に対してドイツ、ロシア、フランスは遼東半島を返還するよう勧告した。これがいわゆる「三国干渉」である。

日本はこんな勧告は到底のむ事は出来ないが日清戦争で国力をぎりぎりまで使い果たし、もうこれ以上三国干渉を拒否する事など出来ない相談であった。

しかもロシアは、三国干渉で日本から清に返還された遼東半島を自らが租借（二十五年間）することになった。

これではいかに日本が隠忍侍従しようとしても我慢出来る事ではなかったのである。

これが後の日露戦争に繋がるわけであるが、これは当然の歴史的成り行きであったと思う。

かくして日露戦争に進むわけであるが、日清、日露の戦いを通じて日本はもう国家財政破綻のぎりぎりのところまで追い詰められていたのである。

その後米国は連戦連勝した日本に徐々に疑惑の念を持ち始め、遂に大東亜戦争に繋がっていった事は誰もが知っているところである。

ところで筆者が今ここで強調したいのは、日清、日露戦争を通じて、日本国民は一体となって国家に協力し戦った、ということである。

ところが大東亜戦争が終わると、たとえ運悪く米国に負けたとはいえ、この戦争は一部の軍人たちがやっただけで、国民はまるで知らなかったような態度を取っている事である。

こんな馬鹿な話はない。

結果的に日本は米国の物量の前に敗れてしまったとはいえ、イギリス、フランス、オランダ等の他の白人国には全て勝ったのである。

こうした事は、戦後の日本人の生き方を見れば一目瞭然である。

例えば東京裁判一つを取って見ても、日本の戦時中の首脳陣が絞首刑になっても何人の人が我が事として切歯扼腕したであろうか。

ほとんどの人は他人事のような気持ちで見ていたのではないか。

先の大戦では、軍人を中心に国民全部が戦争に協力したはずである。

さればたとえ運悪く敗れたりといえども、国民全部が自己反省するのは当然の事である。

ましてや米国などに裁判を受けるいわれはない。

筆者は米国の日本占領策は、日本が再び米国等に弓を引くような国にしないという目的が第一であったと思う。

そして日本人には悟られぬよう、巧妙にその目的を進めていったのである。

ところがほとんどの日本人はこの米国の占領政策にすっかりはまり込んでしまった。

それは戦後の日本の憲法、軍備、人心指導策等を見れば歴然とする。

世界の歴史を見ても日本の歴史を考えても、国家というものは他国に勝る武力を持たなければ絶対に駄目である。

武力のないような国は国家としての体を成さない。こんな事は常識である。

ところが戦後の日本は既に七十年以上も経つというのに、未だに「アメリカ憲法」の改正さえ出来ていない。

ましてや国家としての武力すら思う通りに国民の理解を得ていないのである。

こうした事を国民に分かり易く説明し、戦後の日本の行き方はどう在るべきかを諄々と説かねばならないマスコミが、「平和、平和」と空理空論に走っているようではまさに何をかいわんやである。

戦後の日本人が変わってしまった事は確かだと思う。

毎日の新聞を見ていても分かるように、日本の周辺国家はみな折あらば他国を侵略しようと企(たくら)んでいる。

国家というものはそういうものかも知れないが、それならばそれで、日本も外国につけ込まれないだけの武力を持って対処するのは当たり前の事だと考える。

世界は絶えず動いている。

一時は世界を制圧した米国といえどもいつまでも隆盛であるわけがない。いつか必ず衰退するのである。

そうした時に自国の独立と行き方を誤らないよう、今からしっかりと考えておくべきである。

それには国民一人一人が日本人としての誇りと自覚をしっかりと持ち、徒に外国に左右されない国民性を確立する事が大切だと思う。

(八) 独自の生き方が大切

先般来ふと手にした『日本はなぜ、「戦争ができる国」になったのか』(矢部宏治　集英社インターナショナル)という本を読んだ。

これを読んでいると今の日本などというものは完全に米国の植民地であり、外国などは自分の都合次第でどうにでも政策を変えてしまうという事が、実によく分かる。

そして戦争に負けるということはその時だけの一時的な現象ではなく、日本の場合は既に七十余年を経た今もなお米国の〝植民地〟とされてしまっている事がよく分かるのである。

そしてその現実を変える事が出来るかといえば、米国が余程の窮地に直面して日本から撤退を決意するか、極東政策を変えるかする以外ほとんどどうする事も出来ないのが現実である。

ところが日本の国民といえば目先の経済的なゆとりに満足し切っていて、そんな大きな事など考えた事もないというのが現実ではなかろうか。

しかもそれらの事を率直に国民に話し指導すべきマスコミも誤った考えを国民に披瀝しているだけの情けない現状に陥っている。

今は少しでも早く日本は独自の行き方を実現出来るよう、政府も国民も一体となるべき大切な時ではないであろうか。

次の問題は、尖閣諸島周辺で連日、中国公船の活動が活発化していることである。

ところが先般も、ある新聞の社説をみると「日中対話を促進せねば」と論陣を張っている。

こんなことは何百遍言っても書いても中国政府に届く事は絶対にない。

結局、中国にやられっぱなしというのが本当のところである。

マスコミはそうした現実を知っていながら、相も変らず同じ事を繰り返すだけで何の建設的意見も出さない。

紙に書いたり口で言ったりしているだけでは何の解決にもならないのである。

武力には武力で対抗する以外に手立てはない。

話は変わるが先般も日本が終戦を迎えた時、既に戦争は終わっているにもかかわらず、理不尽にもソ連は北方領土に攻め込んで来た。

そこで現地に残っていた日本軍人を中心に民間人までもが一体となって無謀なソ連軍と戦い、北方領土で食い止めたのである。

そのお陰で北海道は無事であった。もし終戦を迎えたといってソ連の武力に対抗せずやられっぱなしであったら北海道は永久にソ連の手に渡っていたであろうという本を読んだが、私たちは今、安穏として北海道は当然日本の国土だと思っている。

そうした事を考えると私たちは、空理空論もいいが戦う時には断固として戦わないと国家の体面すら維持出来ないのである。

ついでながらこの終戦時満州では終戦となって日本軍は一切の武力をおいたにもかかわらず、無謀なソ連軍は満州に攻め入って何十万という日本軍人を捕虜としてあのシベリアの荒野で働かせ多数の死傷者を出した。この現実を私たち日本人は絶対に忘れてはならない。

最近も『ノモンハン秘史』という本の広告が新聞に大きく出た。

筆者はこれまでノモンハンといえば突然のソ連軍の攻撃によって日本人が多数虐殺された日本の秘史という事くらいしか知識がなかったが、新聞の広告によるとソ連崩壊後の公文書の大量公開によって逆にソ連側の方にも損害が大きかったという記事を読んで大きな衝撃を受けた一人であるが、まだこの本は読んでいないので今は何とも言えない。

先に日本は日清、日露の戦争に勝って外国の植民地からかろうじてまぬがれたものの国内の財政状態はぎりぎりのところまで来ていた。

従って明治二八年（一八九五）日清講和条約締結後「三国干渉」があったが、その後ロシアは清国から遼東半島を借り受けるというあまりにも日本を馬鹿にした事を平気でやっているため、日本人のロシア観は必ずしもいいものとはいえないのが現状である。

人間の関係でも国際間の関係でも、実は自分の身近な者程難しい関係にあるといえる。

そうした観点から見ると日本の周辺国は韓国、北朝鮮、中国、ロシアと難しい国ばかりである。

特にロシアは日本にとっては昔から仮想敵国である事は間違いないが、今回の第二次世界大戦では決してソ連と事を構えていたわけではなく、むしろ「日ソ中立条約」を基に戦争をしない事を前提として付き合って来た。

それをソ連はあっさりと裏切って終戦と共に全武器を投げ出した日本軍に襲いかかり、軍人、民間人に莫大な損害を与えたのである。これは絶対に許すべからざる暴挙だといってもよいと思う。

日本にとって北方から不凍港を求めて南下するソ連が大きな脅威である事は間違いないが、ソ連も日本の立場を充分に考察して外交を進めてくれれば今のような事にはならなかったはずだと思うと、残念としかいいようがない。

戦後のシベリアにおけるソ連の行動は、スターリンとルーズベルト、二人の了解の上に立ったものだったという説もあるが、日本人としては、たとえ何年経っても忘れてはいけないソ連の蛮行であったと思う。

結局筆者が何度も言うように国家というものは自国の国益を第一に考えるものだとしても、こうした仕打ちを受けたことを日本国民は絶対に忘れてはならないのである。

(九)『日本覚醒』を読んで

この度、宝島社刊、ケント・ギルバート著の『日本覚醒』を読んだ。

皆さんご承知のようにケント・ギルバート氏はアメリカ・アイダホ州生まれで、大学在学中にモルモン教の宣教師として来日した。主著に『不死鳥の国ニッポン』があるように、日本人以上に日本の国家事情に詳しく、しかもその意見は、日本人を代表して発言しているのかと思わせるような、外人離れした内容である。

筆者はケント・ギルバート氏には以前から心引かれており、彼の著書は何冊も目を通している一人である。

氏の著書を読むたびに思うのは、この人は本当にアメリカ人なのだろうかという驚きであり、ページをめくるごとに唸らされる。

それだけに氏のさまざまな意見にも早くから注目し、全くその通りだと同感して来たのである。

今回取り上げた『日本覚醒』も例外ではなく、今の日本人がまず第一に考えなければならない問題を鋭く突いている。

この本を読んで頂くと、日頃筆者が主張している論点と同じようなところが沢山あり、そうした意味においても今回、改めてここに紹介したいと考えた。

この本でケント氏は「そろそろ自虐はやめて目覚めませんか？」と呼び掛けているが、この点も、筆者が機会がある度に再三呼び掛けているところである。

ケント氏も言うように日本人はもっと自国に対して誇りと自信を持ってもいいと思う。

有史以来初めての敗戦を経験した日本は「自虐思想」に凝り固まってしまった。

即ち「何もかも日本が悪い、日本が間違っていた」と決め付けてしまったのである。

しかしこれも本(もと)を正せばＧＨＱの占領政策に乗せられてしまった結果であり、この点についてもケント氏は鋭く指摘している。

筆者は各所でたびたび、軍事力を捨てた戦後の日本の在り方を咎(とが)めて国家に軍事力がないような事は考えられないと主張してきた。

米国に押し付けられた日本国憲法は一日も早く破棄、改正して独自の憲法を作り、日本を再びしっかりとした国家に作り直すべきだと説いて来たのである。

そしてそれが国家として当然の姿であり、軍備を持たないという事の方がおかしいと主張して来た。しかしこのように主張すると必ず帰って来る言葉は「日本を再び軍国主義の国にするのか」「二度と戦争は嫌だ」といった反論である。

しかし筆者は、国家が軍備を持つのは当然の事であり、軍備を持ったから戦争をやるというのは先の戦争を逆手に取ったあまりにも逆説的な論理であると思う。

「いかに戦争というものが悲惨なものであるか」「いかに戦争は嫌か」といったような事は筆者は百も承知している。

しかしそれでも国家に軍備がない事に賛成する気には到底なれない。

それは毎日の新聞を見ていても、ロシア、中国、北朝鮮、韓国の動向を見ていても歴然と分かる事なのである。

今度の敗戦によって日本が軍備を廃棄させられたのは、ひとえに戦後の米国の占領政策の結果だと思う。

これらの事も筆者は本書を通じ、また他の機会にもすでに繰り返して来たことである。

ケント氏はこの本で「誇りを持てる日本になれ」と主張しているが、この事も筆者が再三述べてきた事と一致する。

筆者もそう思う。

「自分くらい偉い者はない」「日本くらい凄い国はない」と過剰意識に縛り付けられるような事は論外であるが、徒（いたずら）に自虐意識に縛られるのではなく、日本人としての誇りをしっかり持つのは大切な事である。

今、世界を眺めても軍備なく世界平和を保つという事は論外にしても、各国の軍備の均衡によって平和が保たれている事は事実である。

その中心となっているものは「原子力」であり、ひとたび原爆が投下されれば敵、味方を問わずいかに大きな被害を出すかは広島や長崎の例を見れば一目瞭然であり、それは既に日本が世界に示した現実である。

だからこそ世界各国は、〝局地戦争〟はやっても第三次世界大戦に発展するような大戦争は決してやっていないのである。

ここのところを日本人はもっとしっかりと理解する必要があるのではないか。

もう一度言おう。

原爆を使用しない局地戦争は、これはもう絶対に止める事は出来ない。

従って、今後何年経っても局地紛争は絶対になくなる事はないであろう。

ただ原爆を使用するような大戦争については、お互いの破滅となる事が分かっているだけに絶対に起こらないであろうと思う。

要するに「核の傘」が無言の抑止力になっているわけである。

従って、私たちには国の防備である軍事力が絶対に必要なのである。

これを否定したら国家の存立は有り得ない。

これらの論理を戦後の日本人は全く理解していないのではないか。

何度も言うが、戦後の米国の日本占領政策が間違いであった事は、その後の米国や世界の状勢を見れば一目瞭然で、はっきりと分かる事である。

そうした意味でもケント氏の言う「日本覚醒」という言葉は日本人にとって重要で、「羹に懲りて膾を吹く」という事にならないよう、しっかりと自覚して頂きたいと願う。

（十）今後の日本の進むべき道

今回の大戦では日本は西洋諸国と戦ったとはいえ結果的には米国との対決であった。

特にソ連とは「日ソ不可侵条約」があり、迂闊にも日本はソ連を頼った時期もあり、終戦末期にはソ連がこの戦争を何とか仲介してくれないだろうかという甘い考えを持った一時期もあった。

しかしソ連は現実には、仲介どころか日本が降伏して全ての武器を置いた時点において容赦なく襲い掛かって来たのである。

これは満州、シベリア、北方領土と全ての地区に亘って決行された現実であった。

これによってほとんど無抵抗状態にあった日本人を何万人と殺戮したのである。

これらの事は日本人としては絶対に忘れる事のできない理不尽な事実であった。

こうした現実を前にして「いつかこの敵を取ってやろう」と考えるのは人間として当たり前のことである。

こうして国家でも個人でも「やられたらやり返す」という事は人間として必然な感情だと思う。

しかし筆者はここで日本人が冷静に考えなければならない事があると思う。

国家でも個人でも「やられたらやり返す」という事を繰り返していたら、これは何年経っても同じ事の繰り返しだと思う。

今も日本人は、あの戦後の満州やシベリアでのソ連の仕打ちを考えたら決して許すべきではないと思う。

しかし、今も言ったように、それでは結局同じ事の繰り返しになる。

ではどうしたらよいか。

筆者はそれこそ耐えがたきを耐え、忍び難きを忍んでも報復心を押さえ、それらの悔しさ残念さを押さえて、二度とそうした事が起こらないように心すべきだと思う。

といっても筆者は何をやられても我慢せよと言っているのではない。

今後は絶対にそういう事が起こらないように、自分の国は自分の力でしっかりと守る事だと考える。

外国に付け入られない方法はこれしかない。

ところが戦後の日本人はこうした事すら考えていない。

ただ目先さえよければいいといった人間に成り下がってしまったのである。

筆者は本書を通じてこの事を一番強く訴えたいと思う。

それでは他国が手出し出来ない国を作るにはどうしたらよいか。

それにはしっかりとした軍備を持つ事である。

最近の日本には、軍備を持てばすぐまた戦争をするかのように思う人たちがいる。

しかしそれは違う。

外国に付け込まれないような軍備を持つのは当たり前の事である。

今、日本は経済的には世界有数の大国になった。

しかしいかに経済的大国になっても軍備の裏付けがない経済では何にもならない。

実は昨日も中日新聞の夕刊に次のような記事が出た。

トヨタ186億円制裁金
米で排ガス不具合報告違反

米司法省は十四日、排ガスに関する不具合を規制当局に報告する義務に違反したとして、トヨタ自動車が一億八千万ドル（約百八十六億円）の制裁金を支払うことで合意したと発表した。

制裁金の額は、排ガスに関する報告義務違反としては過去最大という。

司法省によると、排ガスに関するリコールなどの不具合は環境保護局（EPA）に報告する義務があるが、トヨタは二〇〇五年から十五年後半まで報告義務を順守していなかった。

トヨタは声明で「五年前に報告遅れにつながる手続き上の齟齬（そご）を認識し、自主申告した」と説明。報告していなかった期間中も「リコール対象となる車両の顧客に通知を行い、回収を実施してきた」と強調し、報告遅れによる排ガスの影響は「あったとしてもごくわずか」としている。


これらの記事を読んでも、軍事力のない国がいかに惨めな存在であるか歴然としていると思う。

次に筆者が言いたい事は、以上の日本の行き方を実現するためにも国民の考え方をもう一度しっかりと考え直させるべきだということである。

これまでも筆者は、機会ある毎に繰り返し戦後の日本人の考え方は間違っていると指摘している。

しかも一部の指導的立場にあるマスコミもそうであっては始末に悪いのである。

なぜもっと本当の事を言えないのか。

なぜ正論を展開して国民の眼を目覚めさせないのか、筆者には不思議で仕方がない。

戦争がいかに悲惨なものであるかくらいは、筆者も充分に承知している。

それだけに二度とあんな戦争をやってはいけないという事も骨身に沁みている。

しかし、そうかといって外国に侵略されても手玉に取られても黙っているような卑怯なことは、筆者には賛成出来ない。

あの満州やシベリアでのソ連のやり方を見れば、とても許す事は出来ないと考えるのは当たり前の事ではあるが、今も述べたようにここは冷静に考えて、押さえるところは押さえ、我慢するところは我慢して日本人の行き方を貫くべきである。

それが日本国民の本当の行き方ではないであろうか。

またそうした事をしっかりと議論してこそ本当の日本の行き方が分かると思う。

敵が攻めて来たら逃げればいいなどという馬鹿な論理に筆者は絶対に賛成出来ない。

何度でも言うが、外国が絶対に手出し出来ないような防備をしっかりと持った国をつくり上げる事が、これまで戦争で亡くなった人たちに報いる最善の道だと考える。

第三章　一　般

(二) 卒業証書の筆耕

どの学校も学年末になると何かと忙しい。

私たち書家は、正月を過ぎた頃から卒業証書の名前の筆耕を依頼されるようになる。

筆者もご多分に漏れずこのところずっと二、三の高校ではあるが、卒業証書の筆耕を依頼されてきた。

本年もある高校の事務室から電話があり、今年も頼む、とのことであった。

ところが先般来たファックスの文面を見ると

「二社から見積りを取る必要がありますので、見積競争の結果、他社に決定する可能性もあることをご了承ください」

とあるではないか。

これにはいかに温厚な?筆者といえども思わず「えっ」と思ってしまった。

これまで筆者は学校から依頼の電話があると、まず学校まで卒業証書を取りに行き(車で二十分くらいのところ)書き終えるとまた学校に届けていた。

間違いがあったりすると再び学校へ行き、事務室で書き直して完成させていたのである。

決して「取りに来てほしい」「持ってきてほしい」などとは言っていなかったのである。

自分としては誠心誠意、対処してきたつもりであった。

ところが「見積競争の結果、他社に決定する可能性もある」などと言われては、思わず「えっ」である。

実は筆者の場合、この件に関しては他にも伏線があった。

それは三年くらい前のことであったが、実はもう一校、他の県立高校の卒業証書を書いていた時のことである。

二月になっても「今年も頼む」という連絡がない。

高校の卒業式は大体三月一日というのが通例であるので、あまり迫ってきてからではいけないと思い、学校へ電話をした。

そして「卒業証書の用意はまだできていませんか」と聞いてみた。

すると学校の事務員は「本校は今年から新しく書道の先生が来ることになりましたので、その人に頼むことになっています」と言う。

これには筆者も呆気にとられてしまったのである。

これまで何年も頼んでおいて、いくら新しい先生が書くことになったとはいえ、なぜ一言、電話でもいいから連絡をくれないのか。

「今年から新しく書道の先生が見えることになりましたので、その先生に頼むことになりましたが、長い間ありがとうございました」くらいの電話をかけるのは当たり前のことではないのか。

それを知らぬ顔をしていてこちらから電話があって初めて「もう結構です」などというのはあまりにも常識外れではないであろうか。

しかし筆者は、それならそれで仕方がないと思い、以後その学校とは縁が切れてしまったのである。

過去、そうした事があったので特に今回の場合は心に引っかかってしまったのであるが、筆者の思いが間違っていたであろうか。

前に述べたように、筆者は本当に誠心誠意、学校に尽くしてきたつもりである。電話があればわざわざ学校へ卒業証書を取りに行き、書き上げればすぐに届け、間違いがあればまた学校へ行って書き直して来た。

卒業証書とは一生残るものであり、卒業生の大切な思い出となるものであろう、そう考え、一点一画もおろそかにせず、心を込めて揮毫してきた。

ところが学校側にしてみると、そういう考えではなかったのである。

彼らは文字通り事務的に頼み、事務的にやらせていただけなのである。

従って書く人の気持ちなどは全然わかるはずがなく、少しでも安く書いてもらえるところがあればいつでもそちらに変わるという態度だったのだ。

（と言っても筆耕料については、こちらから「いくらください」などといったことは一度もない）

そんなことまでは、見通す力も気持ちも筆者にはなかった。

最近、郵便局へ行くと「バカまじめ」のポスターが貼ってある。人気漫才師のポスターである。

筆者はまさにこの「バカまじめ」そのものだったわけである。

それともう一つ、私たちは書家として書技の向上に一生をかけている。そういう人たちばかりである。

今の書が書けるようになったのは、一生の勉強と努力による。

従って誰もが口には出さないが、心の中では「よくここまでやってきたなあ」という自負心を持っている。

それを「見積競争の結果、他社に決定する可能性もある」などという態度を取られてはこれまでの人生を否定されたのと同じこと、これで怒らない書家がいたら可笑しいと言わざるを得ない。ところが学校の事務員たちは、ただ機械的に頼んで機械的に処理しているだけで、そんなことには考えが及ばない。

そうしたことが今回の一件ではっきりと分かったのである。

しかしいくら事務員といえども、その人（書家）と話をしておれば、その人が一生懸命やっている人かそうでない人かくらいは察しがつくと思う。

書家が一生を通じていかに真面目に真剣に、その道を勉強しているかは拙著「書道のすすめ」の中でも詳しく書いた。

書家は概して「一刻者」が多く、本質的には実に真面目で勉強家である。

そうした人のプライドを簡単に踏みにじるような言動は、避けて欲しいと切望する。

(二) 誠意のない挨拶は駄目

筆者には時間の許す限り頻繁に顔を出している本屋があり、当市に開店して以来の顧客だから、随分古いお客だと言える。

筆者が始終この店に顔を出すのは、本の値段が安いということもあるが、時々、思わぬ本に出合えるからである。

本というものはたとえ二千円の値段であっても百円の値段が付いていても、同じ本であれば内容に変わりはない。

したがって少しでも安く買えれば「あーよかった」ということになる。

こうしたことから筆者はこの本屋からどれくらい恩恵を受けたか知れないし、新しい知識もどのくらい得たか知れず、本当にありがたい存在であった。

こうして長い間通っていると時々笑ってしまうような出来事に出合う。

その一つがこの本屋の女性店員（数名いる）の挨拶である。

この本屋では店員が本の整理を一生懸命やっている。それはそれでいい。

ところが本を整理したり並べたりしながら、全員がかわるがわる大きな声で挨拶するのである。

なんというか。

「いらっしゃいませ。今日は」

「有難うございました。またお越しくださいませ」

というのである。

そして一人が言うと、他の店員も同じことを言う。

そこには少しも心が籠っていないし、感謝の気持ちもない。

ただ惰性でオウム返しに大声で唱えているだけなのである。

おそらくは会社からこう言えと指示された言葉を全員が勝手に唱えているだけなのであろう。

それが証拠に筆者が店に入って店員と顔を合わせても「いらっしゃいませ」とも言わない。知らぬ顔の半兵衛なのである。

だから筆者はいつも苦笑して入っていくのだが、店内で彼らが口を揃えて「いらっしゃいませ。今日は」という声を聞くと、指示されて仕方なく機械的に唱えているに過ぎないということがよく分かる。

筆者は何も今ここで店員の悪口を言おうとしているのではない。

挨拶にしても会話にしても言葉というものは心が伴わなければ駄目だということである。

同じ「有難うございました」というにしても馬鹿の一つ覚えのような言い方では、決して相手の心に通ずることはない。

いくら商売と言っても、心のこもった気持ちで「有難うございました」というのと馬鹿の一つ覚えのような口調で「有難うございました」というのとでは大違いなのである。

おそらくこの本屋の経営者はそんなこととは露知らず、店員に今言ったようなことを言わせているのだろうことは想像がつくが、商売にとって心の籠った接客態度というのは本当に大切なことだと思う。

ただここでひとつ付け加えておきたいことは、この本屋ができた当初からの顧客である筆者が、この本屋のおかげでどれほど多くのことを勉強させてもらったか計り知れない、ということで、本当に感謝の他はないということである。

そうした長い期間の中で日頃筆者が感じたことを、率直に書いてみただけの話である。

大切なことは筆者が取り上げた挨拶ばかりではなく、言葉というものは心が伴わなければ駄目だということである。

それは常日頃の対人関係の中でも痛感するところである。

例えば世の中には実に口のうまい人がいる。にこにことして態度も温厚で実に感じがいいと思われる人がいる。

こうした人と接しているとついつい私たちは好感をもってしまい、全幅の信頼を置いてしまう。

ところがこうした人が案外曲者で、口ではうまいことを言っているが実際には不誠実で表向きの態度とは裏腹であるということがよくある。

筆者は日頃あまり口のうまい人には内心警戒心をもって接する方であるが、どうも信用しきれないと思うことがある。

それに反してどちらかといえば無口であまり感じが良くないと思っていた人が、何かの拍子で口を利くようになり、付き合いが始まってみると今まで思っていたイメージとは大分違っていて「なかなか誠実な人だなあ」と思ったりすることもある。

だから人は一方的に短絡的に判断してはいけないのである。

その人が本当に口先だけの人か、誠実に物事をやり遂げる人かは、やはり付き合ってみなければわからないし、自分が他人と付き合うためには、口先だけではなく、誠実に物事を判断して付き合う人間になるべきだと思う。

たとえ余分なことは喋らずに寡黙であっても、本当にその人が誠実な人であれば必ずその本性は相手に伝わるであろうし、人間、長い間付き合ううちには嘘やごまかしは絶対に分かるものなのである。

そうした意味においても、私たちは人と付き合う時、決して口先だけの不誠実な態度ではなく、心の籠った誠実な付き合いを心がけたいものだと思う。

筆者の古いお弟子さんの中にはもう三十年にも及ぶ人たちが数名いて、本当に真面目で誠実な裏表のない人ばかりである。

だから筆者自身も、それに応え得るような誠実な指導を心がけたいと、常に自分の心に言い聞かせている。

(三) 不可抗力に対する人間の態度

落雷や停電は、毎年一回や二回は住民を大混乱に陥れる。

今年(平成二十八年)も八月二日に愛知県清須市の介護医療施設「新川病院」に落雷し入所者は空調の効かない病院で一夜を過ごすこととなった。

こうした突発事故は自然現象とも言えるもので、誰に文句を言っても始まらない事態と言える。

ところがこういう事態に伴って、当然、交通機関も乱れることになる。

この時も東海道新幹線は清須市の雨量計が規制値に達し、三河安城(愛知県安城市)~岐阜羽島(岐阜県羽島市)間で運転を一時見合わせた。

JR東海道線や中央線などの他、名鉄も名古屋本線の金山(名古屋市)~名鉄一宮(愛知県一宮市)間や津島線などで一時運行を見合わせたという。

災害は自然現象であり、半ば仕方がないことであろう。

ところが翌日の新聞には「いつ動く、名鉄大混乱」と見出しが立ち、豪雨で鉄道が麻痺状態となり、名鉄名古屋駅の改札口前は二日午後過ぎ、千人近くで溢れかえり、満員電車のような状態になった、という記事が載る。


「どうなっているんだ」

「早く状況を説明しろ」

　中年サラリーマンの怒号が飛び交った。

「目的地も名駅も、雨は止んでいるのになんで動かんのや」三時間半以上電車を待ち続けた愛知県北名古屋市の二十代の男性会社員は苛立ちの表情を浮かべた。

「短期間の雨でこんなに長く止まるなんて理解できん」

との記事である。（中日新聞より）

筆者もこの時の乗客のいら立ち感はよくわかる。

三時間以上も電車を待ち続ければ、誰だって我慢の限界に達するだろう。

しかし駅員たちも、担当作業員を含めて現場では必死になって復旧作業を続けているのである。

決して傍観などしているわけではない。

ところが一部の若い連中だけかもしれないが、こうした事態になるとすぐに駅員に怒鳴ったりくってかかったりする。

そしてこうしたことは決して今回だけではなく、同じような事が何度も繰り返される。

筆者はこうした事態を新聞やテレビで見るたびに、日本人というものはどうしてこうも下劣な人間ばかりなのかと情けなくなってくる。

駅員にくってかかるより先に、この事態を少しでも早く抜け出すにはどうしたらいいか、家族との連絡の方法はないか、列車が動き出すまでに一番良い方法は何か、などなど考えられることはすべて考えることである。

それともう一つ大切なのは異常事態が起こった場合の対処の仕方を常日頃からよく考えておくことである。

非常事態が起こってから駅員にくってかかってみたところでどうなるものでもない。

そうした行為自体が理不尽のそしりを免(まぬが)れないものなのである。

しかしそれにしても駅員さんの業務というものも、まったく大変な仕事だなあとつくづく思う。

平素は誠に従順なお客だと思っているのに、ひとたび事が起こるとたちまち半暴徒と化す。これでは人を信用せよと言われても、信用などできないのではないか。

ところが仕事であれば、腹の中でどんなことを思っていても、口や態度に出すわけにはいかない。じっと我慢の毎日ではないであろうか。

さてここで考えたいのは日本人の〝民度〟の程度である。

マスコミの報道によると、世界規模で考えた場合、地震、火災などの突発事件が起きた時、外国では略奪、強盗は当たり前のことであるが、日本ではそうしたことはほとんど起きないということで「日本は素晴らしい」「日本人は良識がある」ということがよく言われる。

確かにそう言われれば、あの東北大震災の時だって日本人は表面的には冷静に対処した人が多かったし、事件になるようなことは誰も起こさなかった。

それに比べて外国ではひとたび災害が起こるとこの時とばかり掠奪強盗が起こり日本では考えられないような事態が発生する。

外国に比べれば駅員にくってかかったり文句を言ったりするようなことはかわいいことだといえるのかもしれないが筆者から見るとこうした事態は人間の民意の低さの証明としか思えない。

戦後の日本人の欠陥の一つに「自分を抑えること」「自分をむき出しにしないこと」などが失われてきたように思う。

すぐ「かっ」としてしまうのである。

人間にとって自分の感情を抑えることは、実に難しいとはいえ、大切なことである。

なんでもかんでも感情をむき出しにしているようでは本当の人間性を保つことができない。

特に予想外の事態が発生した時には、ついつい本来の人間性を見失ってしまうものなのである。

これではいけない。

予想外の事態が起こった時にはまず自分をしっかりと見つめ、あらゆる可能性について思いを巡らせるべきである。

そしてこの事態を打開するためにはどうするか、どんな方法があるか、必死になって考えることである。

そしてどんな方法でも、考えついたらその中で一番いい方法から実行していくことである。

こうした方策を考えもせず、実行もしないうちに、自身の不満を相手に対してぶつけるなどということは愚の骨頂と言わざるを得ない。

予想外の事態に直面した時ほど冷静にならなければならない。これが人間としての基本理念であり、国民の民度はこうした時にこそ現れるのである。すぐ「かっ」とする人、よくよく考えて対処してほしい。

(四) 仏壇購入奮戦記

ある仏教雑誌に「知っておきたい在家用仏壇講座」が掲載された。

実は筆者も何年か前、父の一周忌を機に仏壇を購入しようと十軒以上の仏壇店を回ったのであるが、仏壇の値段があまりにもいい加減なもので呆れてしまい、ある仏壇店では「仏壇屋くらいいい加減な商売はないね」と捨て台詞を残して早々に立ち去った経験を持つ。

筆者が仏壇を買ったのは平成元年二月十一日であるが、この年の四月から消費税が導入されるということで、仏壇が五百万円としても消費税は(当初は三%)十五万円であり「三月中に買えば十五万円も得をしますよ」と言われて、どうせ買うなら思い切って買おうと決断したのであった。

筆者は仏壇によらずこうした高額な買い物をする時はあちらこちらと聞いて回り自分に納得してから買うという習性があるがまず最初に聞いたのはつい最近仏壇を購入した人の話であった。「いくらで買われたか」と聞くと六百三十八万円のものを二百九十八万円で買ったという。

筆者はこの話を聞いて仰天した。

いくらなんでもこんな商売があるものかと思ったのである。

確かに三方開きの立派な仏壇には違いないが、六百三十八万円のものを二百九十八万円に負ける商売が筆者には到底理解できなかったのである。

そこで筆者は新聞広告を頼りに主要な仏壇屋巡りを始めた。

名古屋のある仏壇屋へも行ったが、ある人曰く「あの仏壇屋に行ってよく買わされなかったね。あの仏壇屋に入ったら必ず買わされる羽目になるので有名だよ」と言われた。

後から思い返すと、確かに口もうまいし仏壇の数も揃っていた。しかし筆者は最初から下見のつもりなので実際に買おうとする意志は持っておらず、話だけ聞いて早々に引きあげたのであった。

またあるところでは「仏具の一つをなくせば三十万円安くしますよ」とも言われた。

こんなやり取りをしていると仏壇を買おうとする前に仏壇屋への不信感が先に立って「どこまでが本当の値段か」「一体仏壇とは何なのか」といった疑念にさいなまれて、もう仏壇を買うのはやめようといった心境にもなってしまうのである。

しかし筆者の場合このまま買わないわけにもいかずついに思い切って買ってしまったのである。

雑誌の記事によると仏壇の最も売れる価格帯は「全仏壇で八十万円から百万円」とのことであるが、筆者の認識ではそんな安いものではとても買う気にはならないというのが本当のところである。

「家」は買い換えることもあるが、仏壇は一度買ったらほとんど半永久的に買い換えることはない。

従って買うときは一度だと思って金を用意する。

しかしこんなにもいい加減な商売が現代の世にまかり通っていては呆れて物も言えないのである。

これが筆者の実感である。

さてそれから三十年。

今年は平成三十年であり、来年は陛下の御退位もあり、年号も変わる。

この時点において筆者の仏壇への思いを再度記しておきたい。

まず第一に仏壇というものはもう五百万も六百万もするものは売れなくなるのではないかと思う。

なぜかといえば日本の住宅事情による。

筆者の周囲の住宅を見回してもほとんどは建売住宅でありせいぜい二十坪くらいの住宅に過ぎない。

昔の田舎の家のように百五十坪も二百坪もある屋敷に五十坪も六十坪もある家などどこにもない。

そんな小さな家に住む人が五百万も六百万もする仏壇を買うわけがない。

せいぜい十五万か二十万の小さな仏壇を買うくらいが関の山である。

それともう一つは日本人の死者に対する意識の変化である。
二、三年前、筆者の家の近くに家族葬専門の葬祭場ができた。
葬儀そのものを普通の葬祭場でやるのではなく、内輪だけでひっそりとやろうとするわけである。

こんな意識の変化の中にあって誰が大きな仏壇を買うものがいるか。

筆者はよく街を自転車に乗っていて感じることであるが、これから何年かすると自然消滅していく商売があるような気がする。

それは時代の趨勢で仕方がないのかもしれないが、だんだん下降線をたどる商売があるような気がする。

例えば床屋などもそうである。

組合員である個人経営の床屋は、今、三千八百円である。

ところが最近筆者の家の近くにできたチェーン店の床屋は千七百円なのである。

髪の毛などというものはいくら綺麗にしても直後からすぐ伸びてくる。

床屋に行った時だけ多少は気分が違うということはあるかもしれないが、千七百円と三千八百円の違いはほとんどない。

そうしたことを考えると三千八百円の床屋が衰微に向かうのは自明の理である。

同様に何百万円の仏壇を買える層などというものは、だんだん少なくなるであろうし、一般家庭には仏壇の置き場所さえない。

こうしたことを考えていると、今後だんだん衰微していく商売は何であるか分かってくるし、伸びてゆく職業も自然とわかってくるような気がする。

今の日本は変化が激しい。

目先の事柄だけでなく、考え方そのものが大きく変わっているのである。

そうした流れについていける人間は少ない。

そこに成功者とそうでない人との差ができるのである。

(五) 筆者が書道を勧める理由

「箸よく盤水を回す」。酒井大岳先生から教わった貴重な言葉です。

意味は小さな努力も続けると大きな力になる。決して諦めてはいけないという教えです。

もう少し詳しく説明します。「盤水」とは盤（丸い皿、たらい）の中の水のこと。

最初箸一本で盤水を回しても箸しか回りません。

ところがその箸を根気よく無心に回し続けていますと周囲の水が少しずつ回るようになります。さらに諦めずに回し続けますと一段と輪が広がります。

そして最後には盤水全部が大きな渦となって回るようになります。

この言葉を知った時、私は救われるような気持ちになり感動しました。過去40年以上の間私もこの言葉と全く同じような儚い虚しい努力をしてきたからです。

私の場合、箸どころか爪楊枝を回すようなスタートでした。その努力の甲斐あって40年以上経って大きな渦になってきました。

同じようにたらいに水一滴を垂らしても、見た目に何の変化もありません。

しかし一滴分の水は確実に増えます。例え増えたことを確認できなくても、私は努力してきました。

たらいがプールだとしても同じ。根気のいる努力ではありましたが自分の信念を確かめるのに大いに役立ちました。

これはある会の挨拶で、時の教育長先生がイエローハットという自動車部品会社の社長・相談役の鍵山秀三郎氏が書かれた文章として紹介されたものである。

まさにこうした小さな努力がやがて大きな渦となって実を結ぶのである。

筆者がいろいろなところで読者諸兄に書道を勧めているのも、ある意味では箸で水を回しているようなものかもしれないが、当然、ひとりふたりと理解者や賛同者が増えるようになって、やがては大きな渦になるかもしれないと考えるからなのである。

いろいろな機会を通じて筆者は皆さんに書道を勧めているが、その理由は大きくいって三つある。

第一には、書道は多分に「自己錬磨を伴う」ということである。

字を習うということは単に字が上達するというだけではなく、その過程において知らず知らずの間に努力する心や我慢する心、注意力が養われるのである。

特に現代の日本のようにこれだけ経済的にゆとりが出てくると、努力する心や我慢する心、注意力がだんだん薄れていくのが普通である。

別に努力しなくても我慢しなくても、さらには注意力がなくても、ある程度は自分の欲望が叶えられていくからである。

しかし我慢する心や注意力が失われてしまった人間は、その先、堕落の一途をたどる以外にない。

人間には最低限の基本姿勢というものが必要である。

書道を習うことによって自然にこうした自己鍛錬を達成することができるのである。

第二として、書道史を繙くことによって人間の生き方を知ることができるということがある。

筆者は平素、偉人伝とか人物論などを通じて歴史上の人物の生き様を知り、自分の人生の指針とすることがよくある。

これと全く同じ事が書道史上においても散見される。そしてその人物の生き様を通じて書道というものをより深く理解し、書道のよさを再認識することができるのである。

例えば北魏の政治家・書家に鄭道昭（ていどうしょう）（～五一六年）という人がいる。

彼は滎陽郡開封（河南省開封県）の人であるが、孝文帝に仕えた当時の名門・鄭義の季子（きし）で官は秘書丞兼中書侍郎から秘書監・光州（山東省掖県）刺史に至り、儒学を重んじたが一面で神仙道を愛した人でもあった。

光州在任中、その地の雲峰山、太基山、天柱山、百駒谷の諸山に磨崖碑および諸題刻を書し、神仙への希求の辞を残している。

それが今、鄭義上碑、鄭義下碑として残り、その寛博雄大な筆勢は今なお私どもの心をとらえて離さないのである。

大体山中に摩崖碑（まがいひ）を見出してそこに長い詩を書きつけるという発想は、普通の人には出て来ない。それを成し遂げた鄭道昭は人間的にも桁（けた）外れのすごい人であったと推測される。

このように書道史の中には一般の人にもぜひ知っていただきたい人物や書がいくらでもあり、これらの人の生き様を知ることは我々にとっても重要な課題であると思う。

さらに第三点として、人間というものは自分の身につけたことはどんなことでも決して失われないものなのである。

読書しかりまた経験しかりである。

長い間コツコツと勉強して身につけたものは何年経っても消えることはない。

そうした勉強が、その人の教養となって人格を形づくり、やがては尊敬の的となっていくのである。

以上の理由により、筆者は一人でも多くの人に書道をお勧めしたいと思う。

広範囲で奥深く勉強する事は、無限大に近い書道の道に挑戦することにもなると思う。

そうした日頃の努力がその人の人間性を磨き、ひいては人格の向上にも役立つことになるのである。

人間にとって最も大切なことは何かと問われれば、筆者は「続けることだ」と応えたい。

「継続は力なり」という言葉があるように、物事を長く続けることは大変なことなのである。

しかし長く続けてこそ物事の本質を知るようになり、奥深さも分かるようになるのである。

(六) 字が上手になるということ

近年、パソコン、ワープロなどの普及によって字を書く手段が、手書きから事務機器に移ってきた。

年賀状にしても普通の通信文にしても、手書きで書かれるようなことはだんだん少なくなってきて、ほとんどのものがこうした機器によることが多い。

こうした現状を見るにつけ、字を書く機会はほとんどなくなってしまい、今に全て機器に取って代わられるような錯覚さえ覚える昨今である。

ところが日本人の字に対する思いはまた格別であるらしく、字を習おうとする人、字を書こうとする人がどんどん減ってきたとはいえ、決してなくなってしまうようなことはないように思われる。

そしてそれは

①あまりみっともない字は書きたくない、少しでも字を習っておこうという本能に由来している。
いくらパソコンやワープロのような機器が普及したとはいえ、日常生活において我々が手書きで字を書く機会は決してなくなったわけではないし、日本人である限り字を書くという動作と無縁でいることなど出来ないのである。

そして、自分で自分の字を見たとき、あまりにも下手であれば自己嫌悪に陥るのは人間としても当然のことであろう。

中には自分の字の下手さ加減にも無関心という人もいないわけではないが、普通の人であれば、あまりに下手であると自分自身が嫌になってくるのは人間として当然の感情である。

だから多少なりともそうした感情を持っている人であれば、少しは字の勉強もしてみたいと思うであろうし、自分の二の舞を踏ませないためにも子供にはできるだけ字を習わせておこうと考えるのは当然の事だと思う。
②次に筆者が『書道のすすめ』や『私が書道を勧める理由』などで繰り返し訴えたように、字を習うことには単に字の上達を図るだけでなく、それに付随したいろいろな効用があるのである。
これは何も字を習うことだけではなく、いろいろなお稽古ごとについて回る重要な効用でもある。

即ち「持続力」「忍耐力」「頑張りの精神」「注意力」「人格の形成」などなど、単に字が上達するという意外に、その人の人間形成に多大なプラス要因となることも事実である。

そうした意味において筆者は、単に字が上手になるという本来の目的以外に、これらの要素こそ人間にとって大切なことではないかと考える。
③第三としては、書の道に入ることは単に字が上達するという実用性の面だけでなく「書」の持つ

芸術としての側面が重要なのである。

だから当初は実利的なお稽古事も、長く続けている間にいつしか芸術の探求へと変わっていくのである。

書に志している人は何十年も、いや生涯、書の道に努力するということになるのである。


こうした様々な過程を経て「書家」という立場が出来上がってきたのであり、「芸術家」としての地位も確立したのである。

ところが実は、「字」というものには、さまざまな側面がついて回る。

例えばせっかく上手な字が書けるようにと書の道に入ったにも拘わらず、芸術的な字が人に認められてどうにか書家としてやっていけるようになった人が、実際に日常書く字は実にお粗末にしか書けないという例はいくらでもある。

これは一体どうしたことであろうか。

書家として他人に認められるくらいの人ならば、当然日常書く字などは、上手に書いて当たり前だと思われる。

ところが必ずしもそうではない。

これがその人の字かと思われるような字を書いている書家はいくらでもいる。

それはなぜであろうか。

まずその書家の練習方法が間違っているということである。

今、日常生活で筆を持つということはほとんどない。

筆記用具としての筆の存在は、すでに過去のものとなり、現実に実用性はない。

字が上手に書けるようになるためには、毛筆の勉強をしなければ駄目なのである。

今の人は普通字を習うと言うとすぐ「ペン習字」ということになって毛筆を習おうとする人は少ない。


しかし字が上手になるには毛筆を習うことが絶対に必要である。

なぜか。

毛筆には「古典」があるが「ペン字」にはそれがないからである。

実用文字によらず芸術文字に限らず、字を習う基本は「古典」の勉強と習得にある。

古典の勉強なくして書の上達はない。

では古典の勉強を重視して毛筆だけの勉強を続けていれば、日常の文字も上手に書けるかといえばそれも駄目である。

毛筆は毛筆として古典を基礎とした勉強を続け、同時にペン習字はペン習字として勉強しなければ、本当に実用書、芸術書ともに上手になることはできない。

ここが大切なところなのである。

先に述べた、功なり名遂げた書家といえども実用書の文字が実に下手であるのは、こうした両方の勉強がなされていないからである。

さらに言えば、普通の楷書、行書、草書がうまく書けるようになったから隷書や篆書、かなも上手に書けるかといえば、これも違う。

それぞれの分野の勉強をしなければ駄目なのである。

ここに書道の奥深さと難しさがある。

一生勉強してもこれでいいという終点はない。

だから書家は一生倦まず弛まず、コツコツと真面目に書道に取り組んでいるのであり、書道は一生かけて取り組むのに値する芸術だと思う。

(七) 生駒家の家訓について

「家訓」とは各家庭における家族の戒めの言葉である。

一時代前まではどの家庭にもそれぞれ家訓があり、これは歴史をたどってみても、武家社会を中心として、どの家にも普通にあったものである。

ところが戦後は家訓などと言うと何か古いもののような印象が先立ち「家訓がある家など聞いたことがない」というのが普通になってきた。

しかし筆者自身は家訓の重要性を十分認識しているつもりであり、平成十九年には『家訓を作ろう』という小冊子を作り、我が家の家訓を紹介して新聞にも取り上げてもらった。

その紹介が目的ではないので触れないが、ここでは今回、江南市美術展に出品した「生駒家家訓」について少し述べてみたいと思う。

筆者が今回、市の美術展に「生駒家家訓」を書いた動機は、江南市には『江南市史』という立派な歴史書があるにも拘わらず、ほとんど読まれていないのではないかとの思いを持ったことによる。

それではもったいないのである。

時あたかも本年は江南市制六十五周年にあたる。

そこで市史の中でも特に市民にとって身近なものと思われる「生駒家家訓」を取り上げたというわけである。

「生駒家家訓」は、本文を読んでいただければ分かることであろうが、実はなかなか原文を読んでみても、実際の内容が分かるようで分からないというのが本当のところだと思う。

そこで要約してみると、次のようになるのではないか。

第一条＝先祖を祀ること

第二条＝借金はするなということ

第三条＝旧法、旧例を大切にせよ

近年、私たちはともすれば先祖を敬う心を失いつつあるのではないか。

当然、住宅事情ということもあって、各家庭に仏壇のある家庭すら少なくなってきたのではないかと思われるし、地元にいる人たちは別として、遠く故郷を離れて暮らしていれば、盆、正月といえども先祖のお墓参りなど行ったこともないという人たちもあるのではないか。

これでは先祖を祀るどころの騒ぎではなく、先祖の存在すら忘れられていくことになる。

これではいけないと思う。

先祖があってこそ今の自分があるのであり、先祖を祀るのは重要なことなのである。

次に「生駒家家訓」が指摘していることは、借金はするなということである。

そして身持ちを堅くすることを求めている。

身持ちなどという言葉は最近ではほとんど死語に近くなっている。

しかし筆者の若い頃には父母から「人間は身持ちが大切だ」ということをよく聞かされたものであり、筆者たちはこの言葉によって自分の行いを戒めてきたものである。

今『広辞苑』で「身持ち」を引いてみると

①身の持ち方
②品行

とある。

要するに、その人の生き方や行いが正しいものかどうか、ということを言っているのである。

そして絶えず自己反省をしなさいと教えているわけである。

次に第三条では旧法、旧例を固守することを求めている。

これも『広辞苑』を引いてみると、

旧法＝①ふるい法令。廃止されたもとの法律、規則など。②ふるい方法。

旧例＝昔からのしきたり。先例。旧慣。


とある。

要するに、これまでの習わしやしきたりを大切にせよ、ということだと思う。

このように宗勝（むねかつ）は父・利勝（としかつ）が残した家訓を、終生忘れることなく生駒家の指針として守り通した。

先にも述べたように、最近は家訓というものを見る機会もほとんどなく、家訓を持つ家などといえば、例外的な存在となってしまった。

しかし筆者の見るところ「社訓」を持っている会社は多くあり、そこには会社の目標としているところがたくさん書かれている気がする。

これは本当に結構なことであるが、やはり各家庭にあっても「家訓」を持って欲しいと思う。

それが自分たちの生きる目標となり、人間の生き方の指針にもなるのである。

特に戦後の日本のように「道徳」というものが軽んじられてきた社会でこそ必要なことだと思う。

家訓は生駒家のように祖父や父が作ったものでもいいし、当然、識者に作ってもらったものでもいい。

ぜひ各家庭に家訓を掲げて、一家の指針としていただきたいと思う。

人間というものは一つの目標を持つのと持たないのとでは、その生き方が大きく違ってくる。

さらにもうひとつ、一家のまとまりというものは、やはり一家の長である父親の意向が大きく影響する。

ところが最近の各家庭の在り方を見ていると、一家の長たる主人の権限が著しく後退しているような気がする。

筆者は、たとえ現代といえどもやはり一家の長たる主人の意向というものは、一家の生き方について大きな影響力を持つものだと考える。

一家を少しでも正しい方向に引っぱっていくのは、家長たる男性の意向であると思う。

だから男性はよほどしっかりとしていなくてはならないが、一家を引っ張り纏めていくためにもやはり家訓があってもいいのではないかと考える。今の世の中はこうした家長の指導力も大切な時代ではないか。

(八) アイアコッカ

アイアコッカと聞いても筆者はそれまで、恥ずかしながら何のことであるか知らなかった。

ところがある時、堺屋太一著『現代を見る歴史』を読んでいると「アイアコッカ」が出てくる。そんな折、もう一冊違った本にも「アイアコッカ」が出ていたのである。

そしてその訳本は「日本中で数十万部も売れた」という。

そこで筆者は初めて「これは一度、買って読んでみよう」という気になった。

かくしてアイアコッカという人物が、米国のフォード自動車の元社長であり、その後、競争相手の自動車会社クライスラーの会長となったことを知ったのである。

アイアコッカはその後も波瀾万丈の人生を送り、米国民に大きな影響を与え、民主党から大統領候補に、と声がかかるほど全米に大きな影響を与えた、ということも知るに至った。

さて、ご承知のように米国の自動車会社であるフォードはフォード家の同族会社である。

したがって、社長といえどもその去就はフォード家の会長の意のままであり、ここにアイアコッカの悲劇の根本原因があった。

当時、アイアコッカ社長の上司はヘンリーフォード2世であった。

この人との確執がアイアコッカの悲劇の元になったのであり、その後のアイアコッカの人生を大きく変えることにもなるのである。

と言っても自著でアイアコッカが繰り返し書いているように、彼はフォードを成長させた功労者なのであった。そのアイアコッカをフォード2世はただ一言「君が嫌いだ」との理由だけで簡単にクビにしてしまったのである。

この理不尽なやり方に、アイアコッカは猛然と反発したのである。

それからのいきさつは書籍『アイアコッカ』に詳しいが、社長といえどもクビになってしまえばそれで半分は諦めてしまう、というのが普通である。

ところがアイアコッカはそうではなかった。

その悔しさ、理不尽さに猛然と反発したのである。

それは決してアイアコッカの一方的な主張ではなく、誰が聞いてもまさにアイアコッカの言う通りだと共感できるものであった。

こうしてアイアコッカはそれから二週間後、かつての競争相手であったクライスラーの社長に就任する。

当時、米国の自動車会社はゼネラル・モータース（GM）、フォード、フォルクスワーゲン（ドイツ）、クライスラーなどがあったが、一九七八年の時点で自動車販売台数はGM五四〇万台、フォード二六〇万台であったが、クライスラーは一二〇万台であり、この年の第三四半期の営業成績は一億六千万ドルもの大赤字であった。

クライスラーとしては、何とかしてこの低迷の続く業績を回復したいとの思いからアイアコッカの社長就任を決断したのであった。

さてこれからがアイアコッカの苦戦の始まりである。

そのいきさつは本を読んでいただくよりほかないが、どん底から這い上がるその苦闘は、涙なくしては読めない名文であり、それだけに読者の共感を得るに足るものであった。

筆者はこれまで、自動車会社の内容などというものは全く知らなかったし、読者もそうであろう。

しかしこの『アイアコッカ』を読むと、その内情が実によく分かり、事業というものは大きければ大きいように、小さければ小さいように、本当に大変なものだということを知るのである。

ただこの本を読んでいただければ分かる事ではあるが、アイアコッカという人は決して腹立ち紛れにこれを書いたのではなく、あまりに理不尽なヘンリー・フォード2世への反発から書いたのである。読者も「全くその通りだ」と共感することであると思う。

実際、アイアコッカは嘘偽りを交えて書いてはいない。事実を腹の底から思った通り、正直に書いているのである。

そうでなかったらこれだけの読者の共感を得られるわけもないし、「アイアコッカを米大統領の候補に」といった支持など得られるわけはない。

こうしてアイアコッカは社長としてクライスラーの再建に尽力するわけだが、その過程における議会との折衝、銀行との交渉、その他あらゆる苦闘のいきさつが、詳述されている。

普通私たちは、国会議員のあり方など新聞の記事で読むくらいのものである。しかしアイアコッカが実際に各議員との折衝を続けたいきさつなどを読むと、彼がいかに普通の人ではなかったかということがよく分かるのである。

どんな事業であっても上り坂であるうちは、経営者の力量は分からない。ところが一度事業が下り坂になると、なんとも仕方がないものなのである。行き着くところまで行かなければ止まらないというのが、事業の一番難しいところなのである。これをアイアコッカは見事に乗り切ったのであるが、こんなことは常人ではできることではない。よくも自殺もせずやりきったものだと感動せざるを得ないのである。

アイアコッカについては何も知らなかった筆者だが、この本を読んで最近にない感動を覚えたのは、他の読者同様、本当に凄いことであった。

本書を読まれる皆さんも、是非この本を読んでみていただきたい。本当にすごい人とはどんな人かということが、よくわかる本だと思う。

近年にない感動を覚えた本であった。

(九) 戦後の日本はどう変わったか

昭和二十年八月十五日、日本は有史以来初めて外国との戦争に敗北した。

これまでの二千有余年、国内では数多くの戦争が繰り返され、戦争に敗れることがどんなに惨めで悲惨なものであるのかは、歴史なり経験なりで日本人の誰もが知り尽くしていた。

しかし先の大戦において、外国との直接的な戦争で敗れるという経験をしてみると、これはまた国内戦とは違った面が見えてきた。

この戦争では、日本はアメリカ、イギリス、フランス、オランダ、中国と、ほとんど世界中を相手にして戦った感があり、事実その通りであったわけであるが、実際には他の諸外国は日本の敵ではなく、アメリカ一国との戦いであった。

戦前、日本の軍部首脳を始め一部の政治家は米国の大きさをしっかりと認識し、とても日本が勝てる相手ではないことを十分認識していたはずである。

それにもかかわらず個人に面子（めんつ）があるように国家にも面子があり、国の存続を危うくするような言いがかりをつけられては否応もなく立ち上がらざるを得ない状態に追い詰められてしまったのである。

皆さんよくご承知のように、日本という国は独自の資源というものはほとんどない無資源国家である。

国の動脈を動かす石油一つにしてもほとんどを米国に頼っていたような有様であった。

ところが、そうした国家が米国を相手に事を構えるなど、よほどの覚悟がなければできないことである。

それを敢えて日本はやったのである。

筆者は、この戦争での日本の軍部や政治家の決断を軽々しく「無謀だ」と決めつけるようなことはできないし、そんな知識もないばかりか、当時の複雑な国際関係に口を挟（はさ）む能力もない。

ただ結果論として、日本は米国一国と戦ったことになり、敗れたことだけは事実である。

こうした戦争に至るまでの詳しい経緯を知るには
『侵略の世界史』清水馨八郎　祥伝社
『日本は「侵略国家」ではない！』渡部昇一、田母神俊雄　海竜社
等々、数多くの著作が出版されている。

本稿で筆者が取り上げようとしているのは「その結果、戦後の日本はどう変わったか」ということである。

そこには米国の、用意周到な占領政策があったのは紛れもない事実である。

日本人は、まんまとその米国の占領政策に乗せられてしまったというのが現実の推移であった。

まず第一に米国は日本に米国製の憲法を押し付け、日本から軍事力を取り上げてしまったのである。

それが戦後七十余年を経た今日もなお、日本国民を縛り付けてしまっているのである。

次に米国は、東京裁判によって一方的に、米国だけが正しかったと日本国民を誘導した。

よく知られるようにインドのパール博士は「日本だけが悪かったのではない」ということを再三主張したのであるが、東京裁判という大きな舞台では、一方的に日本だけが悪いと決めつけられ、米国だけが正しいとされた。

しかし昭和二十五年六月二十五日に勃発した朝鮮戦争によって、米国の考え方は百八十度転換するのである。

その最も大きな変化は、日本から永久に取り上げようとした戦力を再び日本に押し付け、日本を属国化しようとしたことである。

いくら日本が敗戦国とはいえ、これだけ米国のご都合主義にいいようにされては、日本国民として「馬鹿にするな」と怒り心頭に発するのが本当のところである。

ただここでひとつ筆者が断っておかなければならないことは、筆者は決して今の日本の憲法に賛同する者ではなく「国家には武力が絶対に必要である」と信じる一人だということである。

今ここで筆者が指摘していることは、外国などというものは自分のご都合次第で他国を自由に操るということである。

戦後の日本は敗戦国である。

米国の意向でどうにでもなったのである。

それを米国は巧妙に日本を騙し続けたわけであるが、朝鮮戦争によって一挙に崩壊してしまったわけである。

しかし実をいえば、日本人はこの時、思いもしなかった幸運に遭遇したと言って良かったかもしれないのである。

そして今度は日本人が米国人を、大きく手玉に取るようになった。

戦後の日本の外交はある意味では日本が米国を手玉に取った歴史であったとも言える。

ただ大きな癌は日本が「左翼思想」に侵されてしまって、未だにどうにもならない状態が続いていることである。

ソ連は日本を赤化して、究極的には植民地にするのが目的であった。

その南下政策の目的の一つが、ロシアの不凍港の確保である。

ロシアが朝鮮半島、日本に狙いをつけるのは、まさにこの一点があるからである。

敗戦直後の日本が満州、シベリアにおいて、スターリンのソ連にどれほどひどい目にあったかは、日本人ならば永久に忘れてはならないことである。

このように日本にとっては外国は全て「敵」と考えてもよいのである。

もちろん表面上は「仲良くしていこう」というのは大切なことではあるが、これはあくまで「建前」である。

どんな国でも「本音」と「建前」とは違う。

「建前」は「友好」であるに越したことはないが、「本音」は絶対に油断してはならないということである。

筆者が戦後の日本を見ていて一番杞憂するのはこの事である。

(十)「続ける」ことの功罪

令和三年（二〇二一）五月二日、満八十八歳の誕生日を迎えるにあたって筆者は自分の人生を振り返ってみた。

何事も一つの事を続けてやり通してきた人生だったと感ずる。

まず自分の一生を通じての職業となった「書道」についても小学校一年生から始めた習字をその後ずっと続け、結局、書家として一生を貫くことになった。

今、筆者の手元に父が取っておいてくれた、小学校一年生からの半紙の作品が何枚かあるが、こうした作品を見ていると当時の我が家の暮らしぶりが思い出されて懐かしい思いに浸るのである。

筆者の小学生時代はちょうど大東亜戦争と重なり、名古屋の焼け出され家族の子供にとっては上級学校への進学などはとても無理な話で、結局、子供の頃から好きであった習字（書道）を職業として選ぶ他はなく、その後一貫して書道に励み、今日に至っているのである。

今、思い返しても結局この道しか選ぶ道はなかったとはいえ、よくも一生続けてこられたと感無量の思いで一杯である。

かくして一生を貫いた書道ではあったが、筆者はこの間、脳梗塞、心臓のバイパス手術、前立腺癌（がん）、心筋梗塞と大病ばかりやり、晩年になってようやく病気も落ち着いてきたものか、この十年くらいはほとんど風邪もひかない健康体を維持できるようになった。

そして今、九十歳を前にして今後何年生きられるかは分からないが、とにかく死ぬまで全力疾走しようとの思いでいっぱいである。

そして少しでも他人の為に尽くし悔いのない人生を送りたいとの思いである。

若い時を振り返れば、周りの書家仲間で一番年少の駆け出しであった筆者が、今になってみると当時の先輩書家はほとんど亡くなってしまい最年長といったことになってしまった。

こうして健康で長生きさせて頂いているのも、書道をやってきたおかげではなかったかと感謝の気持ちで一杯である。

もう一つ筆者には、書道と共に長続きしているものがある。

それは江南ライオンズクラブの活動である。

筆者が江南ライオンズクラブの会員となったのは、一九七九年十月のことである。その時年齢は四十七歳であった。

かくして二〇二〇年十月、入会四十年ということでライオンズクラブ国際協会からモナークシェブロン賞（長期滞在年数賞）というのを頂いた。

そして現在、同クラブでは入会順でトップになってしまったのである。

ご承知のようにライオンズクラブというのは各地の事業家の社長級の人たちの集まりで、事業的には我々などは問題にならない人間ではあったが、真面目にこの四十年間きちんと例会に出席し、クラブ活動に尽くしてきてこの栄誉に達したのである。

今思い返してみても、よくぞ四十年間も続いたものだと思う。

やはり書道と同じで「続ける」ことの意義と大切さを痛感するこの頃である。

かくして筆者の人生は「続ける」ということが大きな柱となっていたのであるが、しかし時々、一つの事を長く続けるということにも弊害があるのではないかと思うのである。

その一つには最近発達が著しいメールだとかスマホだとかいった通信手段になじめず、ほとんど無縁の存在になってしまっていることや、近年の日本社会は英語が氾濫するようになり、新聞でも週刊誌でも英語が当たり前のように使われているため、例えば最近も「トランスジェンダー」だとか「パラノイド性」だとか「フレキシビリティ」だとかいった言葉がさっぱり分からず娘に聞いてやっと理解する始末である。

筆者も中高生時代は決して英語が苦手であったわけではなく、それなりに成績もまあまあだったが、その後、書道一つに打ち込むようになり、今では英語など全く無縁の存在となってしまっている。

そうしたこともあって、特に最近のマスコミは英語を多用しているように感じるが、さらに次から次へと難しい英単語が使われるので、さっぱり分からない事態となってしまった。

もちろんこれは自身の勉強不足である事も間違いではないが、一方で筆者は、自分の人生が全て書道に偏重しすぎた結果なのではないか、と思って反省するのであるが、これはどうであろうか。

一つのことを何十年も続けることの弊害もあると反省しながら、今後は少しでも柔軟な態度で対処していきたいと思っているが、今、ここでひとこと言いたいことは、最近のマスコミもちょっと行き過ぎているのではないかと思うことである。

いくら英語が世界共通語だとはいえ、わざわざ難しい言い方をしなくても、日本には日本の美しい言葉はいくらでもあると思う。

なぜもっと日本語を大切にしないのか。

筆者は不思議で仕方がない。

さて、ちょっと余分な事を書いたようであるが、とにかくどんなことでも何十年も続けるというのは容易なことではないのである。

どんな事業でも仕事でも、長く続けるためにはその人の運もあるだろうし健康の問題もあると思う。また人と人とのつながりもあるであろう。

そうしたいろいろなことがうまく重ならなければ、長く続けるということはできないのである。

健康と幸運と日頃の努力が重なって、初めて実現する「長く続ける」ということこそ、人生の最大の目標にしてほしいと念ずる。

第四章　社　会

（二）葬儀はこのままでよいか

ある新聞の囲み記事に「弔い(とむら)の形」という一文が載った。

要約すると最近の弔いの形が変わりつつあり、身内だけで送る「家族葬」や火葬のみの「直葬」を選ぶ人が増えて来たとの事である。

確かに近年の日本の社会は葬儀に対する考え方、在り方が大きく変わって来た事は事実である。

筆者の子供の頃の農村の在り方では葬儀は各家庭で行われるのが普通であり、誰かが亡くなると隣近所の人たちはもとよりかなり離れている所の人たちでも葬儀に参列するというのが普通であった。

また都会であってもこうした考え方は普通の事であり、普段あまり濃い付き合いはなくても葬式にだけは出掛けていくというのが一般的な考え方であった。

ところが戦後になるとこうした気風は段々薄れていき、余程の付き合いがないと葬式には行かなくなったように思う。

それは一つには葬儀社が徐々に増え、立派な葬儀場で葬儀が行われるようになり、これまでのように身近な隣近所といった場所ではなくなり、わざわざ遠方まで出掛けなければならないといった事も原因の一つではないかと思う。

それともう一つは戦後の日本人の考え方が大きく変わって来た事も原因の一つに数えられる。

即ち自己中心になって来たのである。

それが証拠に、隣近所の人たちでさえ余程昔からの知り合いで親しい間柄でないと、日常の挨拶さえしないところなどから、納得して頂けるのではないか。

こうして自己中心になって来た戦後の人たちは、少々の知り合いくらいではわざわざ葬儀にまで行くのは止めにしよう、という冷めた気分になってしまうのである。

筆者の子供の頃の葬式といえば、一人でも多くの人が来てくれればその家が世間的にもより広い交際範囲を持っている証拠となる傾向があり、会葬者が多いという事はその家の交際範囲が広い証明にもなるような傾向があった。

今の日本の葬儀の在り方は戦後の日本人の考え方、在り方そのものであるように思えてくる。だから家族葬などという身内だけの葬式であったり、直葬などという死ねばすぐ火葬にすればいいなどといった寒々とした葬儀が横行する事になってくるのである。

それともう一つは大企業である葬儀社が主流となって来た昨今では、葬儀そのものが企業化してしまい死者を弔う気持ちが変わって来たように感ずる。

確かに狭い個人の家でするよりは、広々とした綺麗な葬儀場で葬儀をした方がいいかも知れないが、そうしたシステムが結局家族葬や直葬に結びついてしまったような気がしてならないのである。

さらに僧侶の立場に考えを及ぼすと、筆者からみていると今の僧侶は葬儀社に雇われているような印象を受ける。

本来の僧侶の主体性が失われているような気がするのである。

葬儀社と僧侶の契約関係がどういうものであるか筆者たち部外者には分からないが、僧侶は決して葬儀社の契約社員ではないはずである。

現代の日本の社会状態を見ていると有史以来の裕福な状態の中にあって、今、日本人は内面では悩みに悩み、苦しみに苦しんでいるのではなかろうか。

筆者たちの世代のように子供の時から青年期にかけて、食べる物さえままならなかった毎日を送った者にとっては、今のこの裕福な時代に何が文句があるかといった思いである。

ところが「貧困」という事を知らず、生まれながらにして有り余った物の中で育った人たちは、我々が考えると何を贅沢な事を言っているのだと言いたい状態にいる。

だから筆者たちと違った思いに苦しんでいる人たちは、現在いくらでもいるのである。

ではそうした人たちはどこに救いを求めるかといえば、結局最後はオウム真理教などの新興宗教にのめり込んでしまう事になるのである。

今の日本人にとってこうした苦境に手を差し伸べてくれるのは僧侶しかいないと思う。

ところがその僧侶は何をやっているのか。言葉は悪いが葬儀社の一員でしかないと思う。

勿論お経そのものは人間の苦境を救ってくれる立派な教えである事は間違いない。

ところが僧侶が唱えるお経は何百年の間漢文の棒読みであり、我々素人には何が説かれているのかさっぱり分からない。

ただ漠然と聞いているだけである。

さらに言えばこうした状態に疑問を投げ掛け、それではいけないと立ち上がった学者や高僧など聞いた事もない。

確かに法然上人も親鸞上人も「南無阿弥陀仏」と唱えれば救われると説かれる。

しかし現代の人たちはそれで納得するであろうか。

救われるであろうか。

残念ながら筆者は「否」と答えざるを得ない。

なぜか。

それは現代の人たちにはもっと具体的に納得のいく言葉で話しかけなければ通じないと思うからである。

筆者は新興宗教の話を聞いた事もなければのめり込んだ事もないので分からないが、恐らくそうした宗教は分かり易い具体的な言葉で語りかけているのではないかと思う。

そうでなければ人の心など摑めるわけがない。

そこへ行くと日本の仏教は旧態依然とした習慣を繰り返しているだけである。

これでは悩める人の心など分かるはずがない。

今の宗教界の皆さん方はこうした事をしっかりと把握して「葬式仏教」だけに終わらず、真に悩める人たちを救って頂きたいと願う。

そしてそれが本当の宗教だと気付いて頂きたい。

(二)「借りる」という事

筆者が「習字の塾」を始めた若い頃、最初に集まった生徒は十人足らずであった。

それでも永年の夢が叶った事と自分の一生の生きる道が決った事で、筆者は全力投球して頑張った。

当時習字の塾というのは一週間に一回か二回のおけいことというのが普通であった。

筆者も最初は一週間に二回という事で始めたのであるが、半年、一年と経つ間に自分の家だけのおけいこでは飽き足らなくなり、必然的に知人を頼って外で教室を開くようになった。

こうして世話をしてくれる人があり、最初に借りたのは農家の入口を入った八畳間であった。

勿論上敷を敷いてその上に座り、机を並べた「教室」であるが、生徒たちには墨など絶対に零さないようにくどいくらい注意をしたし、その家の人にいつも細心の心遣いをして接したのであった。

その後も伝手を頼って二か所、三か所と「教室」を拡げていったが、今考えても本当に全神経を集中した気遣いの連続であったと思う。

そして借りた所のおけいこは全て一週間に一回とした。

勿論我々のような一文無しの場合は、新しく教室を建てたり、作ったりするような資力もないので、当然自宅以外の所で始めようとすれば借りるより仕方がなかったわけである。

こうして細心の注意を払いつつおけいこを続けたわけであるが、これは筆者だけではなくどの書家も同じような経験をしたのではないかと思う。

ただ筆者の幸運であった事は、筆者が「田舎住まい」であったという事である。

これが名古屋や大阪といった大都会に住んでいる人であれば、たとえ一間といえども簡単に借りられるものではないし、もし借りられたとしても相応の家賃を払わなければないので収支が合うわけがない。

だから筆者は田舎に住んでいて本当によかったと思うし、家主の善意には心の底から感謝の気持ちで一杯なのである。

実は筆者も一、二回、家主の余りの冷淡さにしびれを切らして他の所に移った経験がある。塾がある程度軌道に乗ってきて、ほっとしている時に家主との間に感情的な隔たりが生ずるというのは、何とも致し方ないものではあるが、この時くらい「借りる」ということの大変さが骨身に沁みたことはない。

しかし中には本当に好意的に接して頂け、随分長くお世話になった所もあり、その家の娘さん（子供の時、生徒として来ていた）から、結婚しても今に至るまで毎年年賀状を頂けるし、筆者自身、当時の感謝を込めて毎年きちんと年賀状を出している人も複数いる。

筆者はこうした人たちは人生の恩人だと思っているし、その時の感謝の気持ちは一生を通じて消える事はないのである。

こうした経験を経た筆者は「借りる」という事の辛さ、切なさ、恐ろしさを嫌という程身に沁みて知ったのである。

そういうわけで筆者は、今の自宅の土地を買う時に銀行から資金を借りた事はあるが、それ以外は一生を通じてなるべく「借りる」という事はしないように心掛けて今日に至っている。

ところで筆者は、運動も兼ねてなるべくクルマには乗らないようにして、外出はほとんど自転車で移動をしている。

自転車で移動していると、クルマで走っていては見えないものがよく分かるという特典がある。

実は筆者が住む江南市では戦前から戦後にかけて、市の中心にあるいくつかの商店街が市内一の繁華街として繁栄を極めていた。

ところが最近では、二、三軒の商店を残すのみでかつての繁栄がすっかり影を顰（ひそ）めた感じである。

こうした状態は自転車で通ってこそよく分かるのであるが、筆者の見る限りほとんどの商店が借地であったようである。

自分の土地に店を開いていた人はほとんどいなかったのではないかと思う。

筆者は登記所へ行っていちいち調べたわけではないので確かな事はいえないが、少なくともこの何年か、自転車で商店街を通って来た者にとってはそう見える。

最近も一軒の老舗が取り壊されたのであるが、これは筆者が子供の頃、江南市和田町の自宅から滝中学校まで約四キロの道程を三年間歩いて通った時に途中にあった懐かしい店である。

この七十年間、店の作りは同じであり、今から思ってみるとここも借地だったのだろう。

兎に角「借りる」という事は何年経っても自分の物にはならないわけであり、時が経てばいつかは返さなければならないのである。

こうした事を考えると筆者は、人間というものは自分の住む所や生活の基盤となる場所はどんなに苦労してでも、まず自分のものにしておく、というのが人生の第一の目標でなければならないと、つくづく思う。

「借りたものは、何時かは必ず返さなければならない時が来る」のである。

今、若い人をみているとこの日本の豊さの中にあるために、そうした人生の根本に考えを及ぼさない人が多数いるような気がするがどうであろうか。

実際に「借りる」事の不安、辛さは経験した者でないと分からないわけであるが、筆者は若い時こうした経験を嫌という程繰り返して、本当に「借りる」という事の惨めさを身に沁みて知った一人である。

借りなくてすむのなら、なるべく避ける事だと痛感する。

(三)「養生」ということ

先日も山本七平著『日本人には何が欠けているのか――タダより高いものはない』を読んでいたところ、「養生」の時代という項目に出合った。

「養生」といえば一般的には、病気などにかかったあと、体力の回復を願って体を大切にする事と考える。

ところがこの本で山本七平氏は、こうした一般論とは少し違う論点で記述しているのである。

彼があの大戦から帰還したのは昭和二十年であり、彼は瀕死の状態であった。

従って戦後は病気との戦いであり体力の回復に専念した毎日であった。

そうした時、偶然出合った専門雑誌の編集長だったKさんから「人間には養生(ようじょう)が必要である」と言われて思わず活眼したという。

要するにこの場合の「養生」とは自然に病気の回復を待つ状態ではなく、人間には「養生」そのものが必要であると説かれたわけである。

辞書によれば「養生」とは「自分の体をいたわって再度活力を与えること」、「休養」とは「自分の体を休めること」とある。

ところが山本氏は敗戦によって国家全体がどん底に突き落された当時にあっても「全国民が三年ぐらい養生に専念しよう」などと提案した政治家も皆無であったと記す。

そりゃそうだろう。

第一そうした発想自体が人の心の中には考えられない事であった。

ところがここが山本氏の凄いところであるが、よく調べてみると明治の先達（せんだつ）には「養生」という考え方があったというのである。

それは日清戦争のあと当時の帝国議会が「民力の休養」というスローガンを掲げて政府と対抗していた例があるというのである。

筆者はこれ等の論述を読んで改めて「養生」という言葉の意味と効果を考える事になった。

確かに人間には「休む」という事は大切な事であると思う。ところが筆者自身の事を考えても生まれつき貧乏性であるのか一刻もじっとしていられない性格なのである。

例えばいろいろな仕事を片付けてほっとするともうその次に何かやる事はないかと思ったりして、あれはどうかこれはどうだと考えて自分で仕事を作り出してしまうのである。

そうした仕事なり用件なりを全部済ませて夕方になると、ようやく今日一日が終わったような気がするのである。

毎日が何かに追われているような状態なのである。

ところが山本七平氏の説く「養生」とはそんな目先の偓促（あくせく）した行動とは全然違う。

「三年ぐらいは養生に専念しよう」というのである。

ここまで来るともう人間の発想そのものが根本から違っているのを感ずる。

三年間も精神的にも肉体的にも体を休める事が出来れば、そこから新たな発想が生まれるであろうし、反省も湧き起るに違いない。

ただこの場合「三年」と言われるのはあくまで一つのたとえではあろうが、それにしても私たちが日常経験している「心の休め」とは桁が違うのである。

よく考えてみれば確かに精神的にも肉体的にもそうした「心の養生」を持つ事は人間にとって大切である事はよく分かる。

ただ筆者のように貧乏性の人間は、半日、一日もぼんやりとしている事など耐え難く、まず自分との闘いに勝つ事から始めなければならない。

それには日常の考え方を変える事だと思う。

偓促した考え方を捨てる事だと思う。

これが先ず第一。

次に自分の生活習慣を見直す事だと思う。

筆者のように一日中何かをやっていなければ気が済まないような生活をしていてはまず落第である。

この事は自分の性格から変える事から始めなければならないがこれが難しい。

人間の性格などというものはほとんど変える事など出来ないものと思っている。

それを変えていくためにはどうするか。

こんな事を考える事自体が無理は話であるが、はっきり言えば病気になる事だ。

筆者の経験からいっても人間の性格を変えられるのは病気以外にはない。

病気になって一ヵ月も入院していると確かに人間の性格は変わる。

しかしどんなに性格が変わっても病気などしたくないのは当たり前の事である。

このあたりは割り切っても割り切れないところであるが、人間は健康が回復して何年か過ぎるとまた性格も元通りに返ってしまうのである。

山本氏の言われる事はよく分かる。

山本氏は「人の生涯に〈何もしない一時期〉即ち三年の養生期間は決して長くないし無駄ではない」と言われるが全くその通りであろう。

本項の冒頭でも言ったように私たちはこれまで「養生」といえば病気の回復を考える事くらいしか思いを馳せなかったのであるが、筆者はこの山本氏の本を読んで「養生」という言葉の中にも人類の反省期間、人間の生き方、個人の在り方等々いろいろな意味がある事を知った。

そして自分の経験からそれらの事は人間にとって非常に大切な事であることもよく分かったが、実際に実行する段になるとそう簡単な問題でない事も知った。

山本氏は今年が「民力の休養」「社会の休養」そして「静かに考える年であってほしいと思う」と記されているが筆者も全く同感である。

国民としてこの本当の「養生」が出来、更なる発展の礎になればこんな素晴らしい事はない。

(四) もらい風呂

昭和二十年八月十五日、日本は遂に終戦の日を迎えた。

その時筆者は小学校六年生の十二歳。その下に十歳の弟、以下八歳、五歳の双子、三歳と四人の妹がいた。

当時祖母は八十歳近く、両親と共に計九人の大家族であった。

昭和二十年の名古屋空襲で焼け出されるまで名古屋に住んでいた筆者たちは、空襲で全てを失い行くあてもなく止むなく父の生まれ故郷で祖母一人が住んでいた現在地（江南市和田町）に転がり込んで来たのであった。

当時祖母一人の住まいであり、八畳一間にお勝手とトイレがついていただけのバラック同然のあばら屋に、一家八人が転がり込み都合九人が住むことになったのである。

戦前の八十歳近いおばあさんの田舎での生活などというものは、いってみれば仙人のような生活だったのである。

水はすべてもらい水、水道はなし。隣りの家の井戸を借りて水を汲み、子供たちが力を合わせてバケツで井戸から水を運び、お勝手の水は瓶（かめ）に水を溜めて使っていた。

また夏場の風呂は行水（ぎょうずい）で済ますのが常であった。

こうした毎日の手伝いは当然子供たちの日課となり、ただ生きるためにひたすら働き続ける毎日であった。

風呂は行水といっても夏場の限られた期間だけであり、一年の大半は隣りの家での「もらい風呂」であった。

もらい風呂とは要するに近所の農家で風呂に入れてもらう事である。

一家九人がもらい風呂をするという事は、たとえ一週間に一回であっても容易な事ではなかったのである。

当時筆者の家の近所では風呂はその家にしかなく、やはり隣近所の二、三軒の人たちがその家で風呂を使わせてもらっていた。

従って一時は一晩でその家の家族も含めて三〇人くらいが入っていた事になり、今思えば恐らく最後の方の人は垢と汚れでどろどろの湯になっていたのではないかと思う。

風呂には電気などなくどんな状態であったかなど全く分からなかったのである。

当時の農家の風呂はどこでもそうであったように、座敷の前の三尺の縁側の一番東端に作られており、幅三尺、奥行き六尺（幅90センチ、奥行き180センチ）の大きさであり、湯船は丸い形の五右衛門風呂で、底の鉄板の上に浮き板があり人が入らない時は湯の上に浮いた状態になっており、入る時はゆっくりとその浮き板の上に乗って板を沈めながら入るのである。

また体を洗う時は、風呂場の手前の三尺くらいのスペースが洗い場で、そこには竹が半分に割って敷いてあった。

隣りのおばさんが時々「湯加減はどう?」と聞いてくれるのに対し、「有難うございます。いい湯加減です」と答えるのであるが、少しぬるめの時など子供心にも遠慮がちに「少しぬるいようです」と言うと「ではひと焼べしときましょう」と松の枯れ葉などを焚いてくれ、パチパチという音と共に風呂場の中にまで煙が入って来て煙たい思いをした事もあるが、じっと我慢するのが常であった。

こうした事が何年続いたであろうか。

戦後日本の経済も少しずつ回復の兆しを見せ、貧乏のどん底であった我が家にも新しい五右衛門風呂を買う事が出来るようになり、自分の家の風呂の有難さにしみじみとした幸福感を味わう事が出来るようになったのである。

この何年か隣りのおじさんやおばさんは何一つ嫌な顔もせず、私たち一家九人を風呂に入れ続けてくれたのであった。

勿論当然の事ながら無料だったわけであるが、今になってみるとよくぞやってくれたものと感謝の気持ちで一杯である。

しかし反面筆者の父母にしてみればいくらおばさんたちがいい人ではあっても、もらい風呂をするたびにどのくらい気を遣ったかも知れないと今つくづく思うのである。

一度でもおばさんたちの感情を損ねれば、もう誰も風呂になど入れてくれるわけがない。

いつも低姿勢で「お世話になります。お世話になります」と言いながら風呂に入れてもらっていたのである。

そうした父母の心情を思うと、筆者はいくら戦争による空襲の結果とはいえ、八畳一間に一家九人が暮らさなければならなかったあの悲惨な、口ではいい表わせない思いをどうする事も出来ない気持ちで一杯である。

それにしても隣りのおじさんやおばさんはよく面倒をみてくれたものと思う。

赤の他人にこれ程までに親切にしてもらえたという事は、時代がまだ戦前の相互扶助の美徳を残していたからであろうか。

もし今のように経済的には豊かな時代であっても殺伐とした社会であったら、これだけの事をしてもらえるとはとても考えられない事だったと思う。

そうした意味においても、筆者の心の中にはおじさんやおばさんに対する感謝の気持ちと共に何時か何らかの形で恩返ししたいという気持ちで一杯であった。

しかし人間というものは現実に、具体的な形に表して恩返しをする等という事は出来ないものなのである。

その後十数年を経て、おじさんもおばさんも亡くなった。

筆者は心の中では現在でもあの時の恩は決して忘れてはいない。

いつもあの当時の事を思い出すと「本当によくやってもらえた」という感謝の気持ちで一杯なのである。しかし具体的に何ら恩返しもそれらしい事もしていない。

ただ一つ多少の救いと言えば、父がその家の娘さんの仲人をしたことだけであった。

(五) 書家のこだわり

ある書家が「書家は細(こま)かい事にこだわる習性がある」これを「書家のこだわり」という、と言った事がある。

筆者はその時実にいい事をいうものだなあと感心して聞いていたが、確かに書家は細かい事にこだわる習性を持っていると思う。

例えば作品を書く場合先ず一枚書いてみると、
・少し右に寄り過ぎたかな
・ちょっと墨がうす過ぎたかな
・もう少し太く書くとよかったのになぁ
等々いろいろな思いが胸を貫く。

そこで今度は、
・全体を少し左へ寄せてみる
・ちょっと墨を磨って少し濃い目にしてみる
・さらに太目に書いてみる
ところが書かれた作品は一枚目と比べると迫力がなくなっているし、全体が揃い過ぎてしまってどうも気に入らない。

そこでもう一枚もう一枚とこだわり続け、忽ち十枚くらい書いてしまう事などよくある事である。

これくらいこだわれば一番最初に書いたものよりよくなっていいはずである。

ところが実際にはそうなっていない事が多い。

この事は別項で王羲之が蘭亭叙を書く時、当日会場で書いた作品を自宅に戻ってから何十枚と書き直しても遂に一番最初に即席で書いた作品に及ばなかったという例を挙げて事細かく説明をした事があるが、字というものは常にそうしたこだわり感と表裏一体の関係にあるものであり、「書家のこだわり」とは実によく言い得たものだと今も脳裏にこびりついて離れない。

では一体物事の「こだわり」とはどういう事であろう。

『広辞苑』によれば、

こだわり、こだわること。拘泥。

こだわる。①さわる。さしさわる。さまたげとなる。

膝栗毛七「脇差の鍔が、横腹へ―・って痛えのだ」②かかわる。かかりあう。拘泥する。「形式に―・る」③故障を言い立てる。邪魔する。浄、娥哥（かおようた）かるた「たって御暇を願ひ給へども、郡司師高―・って埒明けず」

とある。

このように一般的にはそれ程気にしなくてもよいような事にも細かくかかわりあう気持ちの事を言っているようであるが、書家の場合は自分の書いたものだけにかかわらず、他人の書いたものにまで細かいこだわりを見せるようである。

この場合自分の書いたものと他人の書いたものとを峻別して、まず自分の書いたものに対してどんなこだわりをみせるかについて記してみよう。

自分の書に対してはなかなか最初に書いたものをよしとする気にはなれないものなのである。

それはなぜかと言えば平素私たちは作品を書く時、一枚や二枚でよしとする事は絶対にないからである。

例えば展覧会の作品を書く場合にしても、先生から手本をもらって先生に見せその中で一番いいものをとっておく。

そして二回、三回と見てもらってその都度いいものを選んで取っておき、最後に一番いいものを選んで出品するというのが常道である。

こうしたやり方が常であると最後に選ばれるのは一番最初の作品である場合もあるし、最後のものである場合もある。

平素こうした習慣がついている書家は、たとえその時に最初に書いた作品が良かったとしてもそれはあくまで偶然としかとらえられないのである。

ここに書家のこだわりが生ずる事になる。

それでは他人の作品を前にした時にはどんなこだわりが生ずるであろうか。

まず他人の作品のよさをなかなか認められない事である。

その作品のいいところより欠点の方が先に目につく。

特によく知っている書家の作品を前にした時には、いいところより悪いところの方が先に目につく。

それは平素その人に対する感情が先に立つからかも知れないが、そうした微妙さもないとはいえない。

ではその人がその作品の作者より腕が立つかと言えば決してそうとは言えない場合が多い。

一人前の批評は出来ても自分がその人よりうまい作品が書けるかと言えば決してそうとは言えないのである。

このように書というものは自分は書けなくても批評する目は持っているのである。

このあたりが書家の落ち入り易い陥穽（かんせい）であるとも言えよう。

このように「書家のこだわり」の中にはいろいろな要素が組み合っているのであるが、筆者の経験をもって一言いえば、書というものは最初の一枚を大切にしたい、という事である。

最初の一枚を書く時にはまず緊張感がある。第二には集中力がある。そして頭の中はほとんど「空」

に近い。

書にとってはこうした状態で書かれる一瞬が最も大切な一瞬なのである。

こうして書かれたものが後から見て少しぐらい気に入らないところがあっても、それはこだわる程の大きな欠点ではない。

それよりも全体に与える影響力は口では言い表せないような雰囲気がある。

書の場合、小さな事にあまりこだわらないように全体から見て、よいか悪いかを判断する事が大切だと思われる。

(六) 新たな人生の区分法

孔子は論語のなかで
「子曰く、吾れ十有五にして学に志し、三十にして立ち、四十にして惑わず。

五十にして天命を知り、六十にして耳順う。

七十にして心の欲する所に従って矩を踰えず」

と言っている。

孔子が自分の一生を振り返って述べた簡単な自伝である。

十五歳が「志学」、三十歳が「而立」、四十歳が「不惑」、そして五十歳にして「天命を知り」、六十歳ともなれば耳に入った言葉がすぐにその理がわかるという事であり、七十歳ともなれば心のおもむくままに行動しても人の道をはずさない。

と言っているのである。

筆者はこれまでこの孔子の言葉に従って、幾多の苦難や自分自身の努力や思いだけではどうにもならない人生の中にあっても、絶えずこの言葉を忘れず常に頭の中で反復、反芻しながらここまでやって来た。

ところが先般講談社刊の西部邁著『無念の戦後史』を読んでいたら「あとがき」のところに次のような文章がある事を知った。

自分の人生には十五年周期で構造変化が生じている。だから少年期は十五歳まで、青年期は三十歳まで、壮年期は四十五歳まで、熟年期は六十歳まで、老年期は七十五歳まで、そしてその後に耄碌期（もうろくき）がやってきたとしても九十歳までというのが、私の想定している人生循環であり、その大半はすでに味わってしまった経験則でもある。

というものである。

なるほど孔子のいう事は全くその通りには違いないし、孔子の言葉は三千年もの間語り伝えられて来た。

しかしこの孔子の言葉に西部邁氏の時代区分を重ね合わせて考えてみると、孔子の教えがより現実的になるのではないかという事に気が付いた。

私事に亘って申し訳ないが、筆者自信が自分の人生を振り返ってみると筆者が生まれたのは昭和八年である。

その後の十五年目は丁度新制中学を卒業した年になる。

この間昭和十六年十二月八日大東亜戦争が勃発、昭和二十年八月十五日には終戦を迎えた。

当時筆者は名古屋に住んでいたが戦争の激化と共に母の在所である江南市に弟と二人縁故疎開となり父母とは別々に暮らす事になった。

その時筆者は小学校五年生、弟は三年生であった。

かくして昭和二十年の名古屋大空襲で焼け出された父は行くところがなく、現在の江南市の出身地に逃げ帰りようやく私たち一家は一つになる事が出来たのである。六人兄弟姉妹の長男であった筆者は旧制中学に進学したのであるが、名古屋の焼け出されの非農家でしかも一家九人家族とあっては食べる事すら満足に出来ず、戦後の学制改革で新制中学になったところで学校を辞めさせられ一家のために働く事になった。

これが筆者の少年期である。

その後も筆者は勉強への情熱捨て難く、二十歳になってから愛知県立古知野高等学校定時制に入学し、卒業したのは二十五歳の春であり、昼間の仕事は同じように続け、ただ一つ家族を養うために働き続けたのである。

こうしてすぐ三十歳になり、あっという間に青年期は終わってしまったのである。

筆者は子供の時から勉強と習字は大好きで書道を教える事で生活していたのであるが、三十歳過ぎてからの十五年間は仕事一すじに働き続け、四十五歳までの壮年期はあっという間に終わってしまった感じであった。

人間も四十五歳を過ぎるとそろそろ老後の事が心配になって来るものであり、ましてや筆者のように書道塾という自由業者にとっては、少し早目に老後対策を立てるべきであり、六十歳までの熟年期は老後への備えの十五年であったといってもよい。

その後の老年期である七十五歳までは大病の繰り返しという事もあり、半分は病気との戦いの毎日でもあった。

西部邁氏はその後の九十歳までを耄碌期だととらえているが、筆者にとってはとても耄碌などしておられないというのが本当のところであった。

先般も新聞紙上に、金融庁の審議会がまとめた報告書で、老後に不足すると指摘された「二千万円」が必要になると掲載され、連日大きな話題になっているが、私たちのような自由業者にとっては他人を頼る事など絶対に出来ず、全ては自分の責任でやって行かねばならない立場である。

元気でいる間はいくつになっても働き続けなければならない宿命であるが、幸いにも筆者の場合は仕事そのものが趣味であり、生きがいであったため八十歳を超えた今でも仕事が苦痛に思った事など一度もない。

仕事をする事が楽しみであり、毎日お弟子さんや生徒たちに会うのが生きがいになっている。

筆者は五十代から六十代にかけて「心筋梗塞」「心臓のバイパス手術」「脳梗塞」「前立腺がん」と立て続けに大病ばかりやり、自分の人生は平均寿命マイナス五歳くらいだと考え、七十歳を過ぎるあたりで死を迎えるのでないかと想像していた。

ところが今八十八歳。元気一杯。今のところどこも悪いところはない。

筆者は人生で一番幸せな事は「健康で長生きする事だ」と思っている。

今筆者は幸せの絶頂にいると思う。

感謝の言葉以外にない。

(七) 老後資金の貯蓄ということ

前項でも触れたように最近の日本で大きな話題となっているのは、令和元年七月の参院選前に金融庁の審議会がまとめた報告書で、老後に不足すると指摘された「二千万円」問題がある。

これは年金以外に老後に必要となるのは少なくとも「二千万円」だという金融庁の指摘で至極尤もな事であると思う。

ところが参院選直前という事もあり、政府はこの報告書の受け取りを拒否してしまった。

こうしたいきさつがあるとはいえ、この問題は日本国民にとって大きな問題を含んでいる事に変わりはないと思う。

まず第一に筆者が指摘したいのは、平素から「勤倹貯蓄」に努める事が大切だという事である。

最近の日本人は貯蓄する事すらすっかり忘れ、貯蓄ゼロの人が二〇パーセントも二五パーセントもいるという。

どうしてこういう事になるのだろうか。

今の日本社会の現状を考えると物が有り余っている感じである。

例えばデパートへ行ってもスーパーへ行ってもあらゆる物が陳列、展示されており、ない物がない。

こうした状態を前にしてはついつい欲しくない物にまで手を出してしまい、自分の欲望を抑えるなど、不可能に近い事なのである。

要するにあらゆる商品が目の前に並んでいるのであり、それらを前にして自分の欲望を抑えるなどという事は普通の人ではなかなか出来る事ではないのである。

そこで自分の懐(ふところ)も考えず、つい買ってしまうというのが現状ではなかろうか。

その結果毎月、持っている金は全て使ってしまい、預貯金ゼロの人たちが生ずる事になるのである。

要するに自分を抑える事が出来ない人間になってしまっているのである。

筆者の世代のように貧乏のどん底から這い上った世代とは違って、生まれた時から物の有り余っている中で育った世代にとっては、そんな事をいう事すら無理な話ではないかと思う。

そこで私たちは余程しっかりとした考えと「自己抑制力」を持っていなければならないという事に気がつく。

第二には「他人を当てにしない習慣をつける」という事が大切になってくる。

・年金はもらうのが当たり前
・政府は国民を守るのが当たり前

といった安易な気持ちをまず捨てる事が大切な事だと思う。

そして政府といえども「他人を当てにしない習慣」をつける事が大事だと思う。

先日久々に十六歳下の妹に会ったら、「昔お兄さん(筆者のこと)に『千円以上手元にあったらすぐ貯金せよ』と言われたので、それを実行して来た」と言っていた。

そんな事を言った記憶はないが、そういえばそんな事を言った事もあったかなあと思い返していたのであるが、これは少し極端としてもやはりそうした心掛けで「勤倹貯蓄」に励むのは大切な事だと思う。

そしてやるべき事はしっかりとやっていけばまず間違いないのではないか。

とにかく現代の人たちには「勤倹貯蓄」の精神が失われているのが第一にあり、全て目先の欲望に負けてしまっているのである。

これまで筆者は主として国民の側から自分たちの人生の生き方についてその心構えの大切さについて書いて来た。

今度は視点を変えて国家の立場から国民をどう守っていったらよいかについて言及してみたい。

私たちは毎年税金として資金を提出し、国家、社会の運営に貢献している。

これは国民としての義務であるから当然の事である。

この税金を使って国民のために貢献しているのが国会議員を始めとする各市町村の政治家である。

ところがこの政治家たちは本当に国民が粒粒辛苦して納付した税金を運用しているのだという意識を持っているであろうか。

筆者は、政治家は長い間に自分の特権に安住して、そうした厳しさがだんだん失われているのではないかと思う。

例えば総理大臣が外国へ出掛けた場合に、明らかに日本の国益に反する行動をとっている国にさえ莫大な援助資金を与えるなど、国民の目の届かないところで貴重な税金がたれ流しに使われているような事がよくある。

勿論人間のやる事であるから、全てが理想通りきちんと行われるというわけにはいかないであろうが、それにしてもそうした事実がある事を知ったりすると、いつも腹立たしい思いにかられるのは筆者だけではあるまい。

特に今の日本は敗戦の結果、米国の属国に成り下っている。

米国の軍事力の前には何の理屈も正義も通らない。

米国のいうままである。

こうした現状を見ると、日本人はもっともっと大きな目で国の現状を直視する必要があると思う。

このように有史以来の「敗戦」という体験をした日本人にとっては、国際政治や国内政治を問わず、自分たちの身の回りの事、考え方など全てのものが大きく覆(くつがえ)ってしまった。

今後は日本人の一人一人が、充分自己反省に努めて、大きくは国家全体の事、小さくは自分の身の回りの事に目を注(そそ)ぎ、余程しっかりとした考えを持たないと、何年経っても「敗戦後遺症」から抜け切らないのではないかと思う。

（八）時代の巡り合わせ

「時」というものは寸時も休む事なく刻々と時を刻んでいるものである。

こうして歴史というものは何百年何千年と時を刻んで今日に至っている。

こうした歩みの中で平和な時もあれば戦いに明け暮れた時もある。

地球の歴史、人間の歩みを振り返った時、私たち昭和八年生まれの者がいかに平穏無事な時代に生きたかを痛感して、筆者は『昭和八年生まれの研究』と題して小冊子を書いた事もある。

その結果再確認した事は、筆者たち昭和八年生まれの世代の者は、子供の時は敗戦直後という事もあり食うや食わずの惨めな青年期を過ごしたのであるが、青年期以後の晩年に至るまでの五十年間は、経済的には日本始まって以来の成長の真っ只中にあり、軍事的にも日米安保条約の体制下とはいえ兎に角平和な年月が続いた一生であった。

こうして筆者自身の生涯を振り返ってみる時、心のわだかまりとして引っ掛るのは「もし自分たちがあと数年早く生まれていたらどうなっていたか」という事である。

あと数年早く生まれていたら筆者たちは確実に徴兵され、ほとんどの人が生き続けられなかったのではないだろうか。

筆者たちのそうした人生を考えてみただけでもこれだけの思いが湧いて来るのに、何百年、何千年の歴史を考えてみてさまざまな思いにとらわれるのは、一人筆者だけではあるまい。

要するに「時代の巡り合わせ」という事である。

もし私たちがあの戦国時代に生を受けていたらあっという間に死んでいたかも知れないし、一般の下層階級の人たちなどはほとんど人間扱いされていなかったのではないか。

そんな事を思うと全ては偶然の結果であるとはいえ、いい時代に生きた者は結果的に幸せだったわけであり、悪い時代に生きた者は運が悪かったとしかいいようがなくなってしまう。

筆者は読書が大好きで片時も本から離れて暮らす事など出来ない性格である。

ではどういったものを読むかというと、まず手にするのは歴史関係の本である。

要するに歴史が好きだという事になる。

ところが繰り返し歴史の本を読んでいると、日本の歴史に限っていっても平和が続いた時代などというのは本当に少ないと思う。

敢えていえば平安時代か江戸時代くらいのものである。

ただ現存する歴史の本などというものは、ほとんど時の権力者の意向に添ったものが多いし、ましてその内容は時の権力者の周辺の事象が中心であって、一般庶民の事などほとんど書かれていない。

従って歴史というものはほとんど上から目線で書かれたものが多く、下から目線で書かれたものなど少ない。

こうした事を割引いても歴史の大きな流れは歴史を勉強する事によってのみ知る事が出来、それ意外に歴史を知る事は不可能であろう。

そうした事を考えると地位の如何を問わずその時の自分の人生が自分の意志とは無関係に最悪の時代にはまってしまった時には、どうにも仕方がないし、運よくそうした時代に当たらなかった場合は運がよかったという以外に言いようがない。

このようにどうにもならない事はどうにもならないものであり、自分の力ではどうしようもない。

ここにそれぞれの世代の運の分かれ道があるわけであるが、個人として時代の大きな巡り合わせに抵抗しようとしても出来る事ではないのである。

先に筆者は「昭和八年生まれの・・・」と言ったが、これは別に昭和八年生まれの人だけを特定したわけでなく、たまたま筆者が昭和八年生まれであったのでそういっただけであるが、考えてみれば私たちの年代の者は本当に幸せな年代であったと思う。

只ここで筆者が一言いっておきたい事は、今の日本の平和というものは決して日本人が自分たちの力で勝ち取ったものではないという事である。

確かに今の日本は平和で申し分のない社会である事には違いないが、この平和は決して日本人が自分たちの力で勝ち取ったものではないのである。

再三言うように戦後の「日米安保条約」によってアメリカの軍事力があるからこその平和なのである。

もっとはっきりいえば日本はアメリカの核の傘の下にあり前線基地になっているという事である。アメリカの軍事力によって保たれている平和などは決して本当の平和などではない。

アメリカの属国にすぎないのである。

ロシア、中国、北朝鮮、韓国など日本の周辺国は折りあらば日本につけ込もうと、一時の油断も出来ない国々ばかりである。

日本の領土である竹島などは実質上既に韓国に支配されたままになっている。

いかに自分にとって不利な時代の巡り合わせとはいえ、国のために戦わなければならない時は断固として戦わなければならないのである。

ここに国民としての宿命がある。

私たちは今の日本の平和を当たり前と考えて目先きだけの平和にとらわれる事なく、自分自身の手で掴み取る真の平和とは何かという事を、しっかりと胸の中に刻みつける事が大切なのである。

国などというものは世界中のほとんどが「国益」で動いている。

最近の米国のトランプ大統領の言動を見れば一目瞭然ではないか。

㈨ クルマと私

令和二年五月二日、筆者は満八十七歳になった。

今年自動車免許の更新という事で、自動車学校へ行ったところ一時間程の一般の人たちと一緒の講習の他に、他日「自動車学校高齢者講習会」を受けさせられた。

これは約三時間にも及び、後日ようやく免許証の交付という事になった。

実は筆者の知人の間でも「もう免許は書き換えない」という事であっさり免許証を返上してしまった人たちもいるが、どうも筆者にはその決心がつかなくて、次回はよく考える事にして、兎に角今回だけは更新してもらおうという事で自動車学校へ出掛けたのであった。

今回筆者が免許証更新に当たって一時躊躇したのは次の理由によるものであった。

まず第一は最近新聞紙上においても高齢者の事故は多発しており、万が一そんな事になればこれまでの人生が台なしになってしまう恐れがある事。

第二にはこの年になるといくら自分では気をつけていても体の方が瞬間的に対処出来ない事があり、そうした心配が絶えず自分を支配するだろうという事であった。

そこで筆者は平素からなるべくスピードを出さない運転を心掛け、四〇キロ以上は出さないよう自分のペースを守るようにしてきた。

ところが朝など出勤途上の若い連中は筆者のクルマにぴったりとくっついて運転してくる事があり「あ、これは相当いらいらしているな」と思っていると、追越禁止区間であるにもかかわらずスピードをあげて抜いて行ってしまうクルマもある。

これには筆者もいささかいらいらして、これでよかったのかなあと思ってしまうのである。

そこで近所に住んでいる娘になるべく乗せていってもらうようにしているが、娘の都合でそうとばかりはいかない時もある。

こんな時が一番困るわけで、やはり自分の行きたい時にすぐ行けるにこした事はないのである。

ただ事故というものは思わぬ時に思わぬ状態で起こる。

誰も事故を起こそうと思って起こす者はいない。

しかも一旦事故を起こしてしまえば取り返しのつかない事になるのであり、長い人生の努力も一瞬にして吹き飛んでしまう。

これが一番恐ろしい。

事故は起こってしまってからでは遅いのである。

それくらいなら少し早目に手を打って何事も起こらないうちに対処すべきではないかと思う。

そうした事をあれこれ考えて筆者は日常、町の中を行き来する時はなるべく自転車を使うようにしている。

しかし自転車といってもせいぜい二、三キロの間ならまだいいが、五キロ、六キロとなって来るとついついクルマに乗ってしまうのである。

事故は何時、どこでどのようにして起こるか分からない。

そうした事を考えると高齢者ともなればなるべくクルマを運転しないのがいいのだが、そんな事はいつまでも迷っている事ではなく、あっさりと決断するべき問題であるかも知れない。

筆者は少なくとも今回を最後にして次回は免許を返上したいと思っている。

今、筆者は少しでも事故を起こさないために自転車に乗る事を強調したが、実は自転車に乗る利点は沢山あるのである。

まず第一にクルマと違って自分で足を動かすだけで適度な運動になる事。

第二にはクルマにばかり乗っていると自分の町の事さえ余り知らずに過ごす事が多いのであるが、自転車に乗っていると今まで見えなかったものが目に入るようになり、自分の街の再発見という意味でも思わぬ効用があるものである。

ちょっと話が横道に逸れるが筆者は二十年くらい前に「新しい表札の研究」というテーマで、一軒一軒の表札を確めながら津島市あたりまで自転車で行った事があるが、今にして思えばよくもこんな遠くまで行ったと思う。その後『表札の研究(めざせ表札革命)』という小冊子を出版したが、筆者にとって自転車は、やはりなくてはならない足であり、こんな事は自転車だから出来る事であってクルマではとても出来なかったと思う。

また筆者は中学生の頃、江南市和田町に住んでいたのであるが、滝中学校まで三年間、約四キロの道を歩いて通った。当時は自転車など買ってもらえず、今こうした道を自転車で通ってみると実に懐かしい思いで一杯である。古知野の街並みなど昔と少しも変わっていない店も何軒かあり、自転車で通っていたからこその思い出を、今たびたび深く思い起こすのである。

このように自転車の効用は、クルマとは違った一面があり決して無視する事は出来ないが、古知野の街並みも一軒一軒取り壊されていくのを見ると、人生というものは十年や二十年では分からないが六十年、七十年経つとがらりと変わってしまうものだと実感する事がある。

勿論自転車とて十分に気をつけて乗らなければならない事は当然である。

「クルマと私」というクルマに対する考え方、対処の仕方がとんだ人生論に発展してしまったが、兎に角少しでも事故のないようなクルマ社会でありたいものだと切望して止まない。

事故があってからでは遅い。

この便利な乗り物に私たちはどう対処するか、これは重大な問題だと考える。

(十) 後悔のない人生を生き抜くために

人間も九十歳に近くなると、嫌でも「死」というものが目前に迫って来ている事を感ずる。

これまでの自分の生き方はよかったか。もう一つ違った道もあったのではないか。等々思わなくてもいい事まで考えてしまうのが人生である。

しかし筆者の場合は、幸か不幸か自分の人生について後悔する事はほとんどない。

それはなぜであったろうか。

その理由の第一は、筆者の場合、その時その時に当たって考えに考え「よしこの道しかない。この道を進もう」という事で遮二無二自分の生き方を決め、それに向って突き進んで来た経緯があるため、当時を振り返って考え直し、違う道を進んだ方がよかったのではないか、といった思いがほとんど起こらないのである。

従って良いにつけ悪いにつけ、その時はその時で考え抜いた事なので、今になって、もっとああすればよかったろうか、こうするべきではなかったかなどという考えはほとんど出て来ないのである。だから筆者は何事によらず自分の生き方は自分で徹底的に考え抜く。そしてその方法しかないと結論づければ、あとは迷わずその道を貫き通すという事が大切な事だと考える。

そうすれば今も言ったように何年経っても後悔する事はないし、ああすればよかったのにといっためめしい態度には決してならないと思う。

ここで一つ付け加えておきたい事は、これはあくまで筆者自身の考えであり、他人から見たら「何をくだらない事を言っているのだ」と笑われるかも知れないが、今ここで書いているのは筆者自身の生き方についてであるので、ご了解頂きたいと思う。

このように自分の生き方を決定する時、一番大事な事は「他人の思惑を考えない」という事だと思う。人間は社会的動物である。

だから自分の事を考える場合でもついつい他人との関係や人の思惑、これに対して人はどう思うだろうか等々、他人の事を考えてしまいがちである。

しかしこの場合、まずそんな事は考えないようにすべきであると思う。

なぜなら今自分が考えているのは自分の生き方、進み方についてであるからである。

自分の進み方を考える時、一番考えていけないのは他人の思惑である。

ややきざっぽい言い方かも知れないが、自分の生き方を考える時、他人の思惑や考え方は必要ないと思う。

それより自分の環境、境遇等を十分考慮に入れて、自分の考え方を貫き通す事だ。

こうした考え方であれば何十年経っても後悔する事は絶対にないと思う。

筆者はこの自分の意志を大切にして来たし、その時に当たって、考えに考え、もう自分の頭ではこれ以上考えられないと思う限界まで考えた積りである。

そうして実行して来た事柄であるだけに、今思い返してみても「ああすればよかったのではないか」「こうした方が正しかったのではないか」等々の迷いはほとんど一つもないといってもよい。

勿論、先に述べたように他人から見れば「何をくだらない事を言っているのだ」と笑われるかも知れないが、筆者は決してそうとは思っていない。

自分で考え抜いて実行した事は余程の事がない限り、ほとんど後悔する事はないと思うからである。

ただここで一つよく考えておかなければならない事は、他人というものは口には出して言わないけれど、いろいろな事を考えているものだ、という事である。

人間には「妬み」「嫉み」その他いろいろな感情が渦巻いているのである。

余り自分の感情だけで生きていると、どこでどんな竹篦返しが待っているか分からないのである。

この点、さすがかの豊臣秀吉はこうした事を充分に計算に入れて行動した人であった。

筆者が歴史好きで、本屋へ行ってもついつい歴史の本を買ってしまうのは歴史上の偉人——特に秀吉などは、人間の裏表をしっかり把握して、決して自分の行動を明らさまに人前にさらけ出すような事をしなかった人であったからである。

人間の生き方を知るには、何といっても歴史の本を読むべきだと思う。

特に日本の歴史書くらい人間の生き方を的確に教えてくれるものはない。

以上筆者は「自分の生き方を、考えに考え、もうこれ以上考えられないところまで考えて実行して来たから決して後悔する事はない」と偉そうな事を書いたが、秀吉にしても家康にしても彼等はさらにその上を充分考えて生き抜いた人たちばかりである。

その人生は、私たちの生き方にどれ程大きな影響を与える存在であるかは今更ここで申し上げるまでもあるまい。

最近読書が軽視されてしまって、本を読む人がだんだん少なくなって来ている事は誠に残念な事である。

特に若い時はしっかりとこうした偉人の本や良書を読んで、自分の人生の指針にして頂きたい。

そして少しでも後悔の残らない人生にして頂きたいと願う。

第五章

私の考え方

(二) 奥さんの役割

国有地が小学校用地として格安に払い下げられた問題として、いわゆる「森友学園問題」が日本中を騒がせたことは周知の通りである。

しかもその中心人物が、安倍晋三首相夫人、昭恵（あきえ）さんであることも大きな話題の原因となっている。この度の衆参両院予算委員会は、森友学園理事長・籠池（かごいけ）氏の証人喚問を行うに至って、ことの成り行きは混沌としてきたと言ってもよい。

こうした事件の推移を見ていて我々が感じることは、政治の世界はまさに魑魅魍魎（ちみもうりょう）の世界だなあということである。

表面的にはニコニコとしていても腹のなかでは何を考えているのか分からないし、政治家を利用しようと考える人間がひしめき合う世界だと言ってもよい。

そうした人間を相手にお嬢様育ちの昭恵夫人がついつい心を許してしまい、相手に手玉に取られた、というのが今回の事件の真相ではないか。

世の中には政治家を利用しようとする海千山千の人間がどれほどいるかわからない。昭恵夫人にすれば「そんなことは百も承知の上だ」と言われるかもしれないが、平素各種のマスコミ報道を通じて昭恵夫人を見ていると、どうもそんな感じがしてならない。

例えば昭恵夫人は日頃、「家庭内野党」だとか言って、安倍晋三首相の考え方とは違っていても平気で自分の考えを押し通したりしている。

ご主人がどんな偉い人であっても奥さんの立場から見れば、ごく普通の人に思えるのかもしれない。しかし、それは違うと思う。

一国の総理ともなれば日本の国を背負って立ち、世界中を駆け回って国益のために奔走しているのである。

これほど重大な責務をおびた総理大臣の奥さんともなれば、たとえ自分と考えが違っていても、自分を抑えて主人の考えに従うのが本当の生き方ではないのか。

これは何も、女性が自分の考えを抹殺しろと言っているのではない。

それが「奥さん」という立場の人間の取るべき、当然の道だと考えるのである。

今回の事件を巡っても「首相夫人は公人(こうじん)か私人(し)か」といった議論が戦わされているが、筆者は「公人」だと思う。

総理大臣の奥さんは「公人」と自覚して行動する義務があると思う。

『広辞苑』によれば「公人」とは「公職にある人。国家または社会のために勤める人」とある。

だから首相夫人ともなれば当然それこそ「夫婦一心同体」なのである。

それを「妻は妻としての考え方がある」などと自己主張したり、勝手な行動をとったりするのは根本的に間違っているのではないか。

今回の事件にも、こうしたところに昭恵夫人の考え方の甘さがあって、その隙をつかれて大騒動になってしまったのではないか。

日常のマスコミの報道を見ていると安倍首相は、保守の強固な地盤を背景にして日夜世界を股にかけて飛び回っている。

私ども庶民には、各国を相手にしての安倍首相の交渉内容まで理解することはできないが、少なくとも日本の国益のために奔走しているであろうことだけは信じたい。

そうした首相の足を引っ張るようなことは、たとえ奥さんといえども自重していただきたいと思う。繰り返すが、奥さんの使命は、たとえ自分の考えと違ってはいても、少なくともご主人の考えと行動を盛り上げるようにすべきだ、ということである。

だから昭恵夫人も自分の立場をよく考えて、注意の上にも注意を重ねて総理の片腕になっていただきたいと願う。

首相夫人が私人であるわけがない。

堂々たる公人である。

そうした自身の立場と自覚を十分わきまえて、日々の行動をとっていただきたいと願う。

それにつけても「女性の生き方」とは難しいものだと思う。

戦後は男女同権が叫ばれ、女性の地位は戦前と比較しても格段に向上した。

女性の中にも優秀な人は限りなくおり、男性をしのぐ人は無数に存在する。

しかし女性には出産、子育てという男性にはとって代われない特殊性があるのも事実だ。

そうした特殊性の中では、どうしても男性主導の社会情勢が普通のこととなり、女性は男性に従わざるを得ない場合が出てくる。

決して女性が男性に劣っているということではなく、女性の宿命ともいえるものだと思う。

だから結婚しても女性が特別な資格を持っていたり、高い地位にある場合は別にして、一般の家庭ではどうしても男性が中心となり、女性は「内助の功」を発揮する立場となっていく。これは仕方のないことだ。

差別ではなく、男は男の立場、女は女の持ち分を完遂するための、合理的な結果である。

女性が男性を立てて「内助の功」を発揮するのは、女性としての美徳であり、決して間違った考えではない。

あまり女性が主人を無視して自分というものを出しすぎると、最後はうまくいかなくなるような気がする。

絶えず自己反省して進みたいものである。

(二) トランプ大統領

米国大手メディアをはじめとして誰もがヒラリー・クリントン前国務長官の勝利を疑わなかった米国大統領選挙にトランプ氏が当選して早くも一年の歳月が経過した。

この間にトランプ大統領の言ったことと言えば「米国第一」という事であり、何が何でも世界は米国を中心にして回してみせるという決意の表明であるが、このことは当然の主張であるともいえる。

いくら腹の中で「米国第一の政治を行いたい」と思っていても、表面的にはあからさまに出さず腹の中にしっかりと畳み込んでおくというのは現実の政治なのである。

ましてや現在の米国のように、その軍事力において世界が束になってかかっても絶対に敵わないような「一国独裁国家」の大統領ともなれば、その言動は慎重の上にも慎重を期するのが常識である。

ところがトランプ氏は違っている。

トランプ氏は自分の思いを腹の底まで晒け出して自己主張を繰り返した。

これがトランプ氏を支持する層にアピールし、大方の予想を覆してトランプ大統領実現という結果になったものと思う。

しかし、こうした結果がトランプ大統領本人にとっても米国という国家にとっても必ずしもよかったとはいえないところに政治の難しさがある。

ましてや今の米国のように世界的な独裁国家は、世界情勢に十分な配慮を巡らし慎重の上にも慎重を期してこそ米国大統領の価値があるのである。

二〇一五年六月の出馬宣言では
「メキシコ移民は麻薬や犯罪を持ち込むレイプ犯だ。国境沿いに万里の長城を築き、建設費はメキシコに払わせる」

と言っている。

これでは事の是非は別にして争い事を吹っ掛けているのと同じである。

こうした考え方と手法で、以後、大統領に就任しても、まるで世界中が自分の思い通りにならないと全て敵対視するかのようなやり方である。

こうしたトランプ氏のやり方に対して米国民の半数は反対派であるけれども、今のところは強引な彼の力にねじ伏せられている感じで大きな動きはない。

そこで考えなければならないのが日本の行き方である。

マスコミの報道によれば安倍首相は、ともすれば米国に迎合しがちだと指摘されている。仮にそうであっても、腹の中はどうであっても、今の日本にとって米国を敵に回すなどという事は絶対に出来る事ではない。

腹の中は違っていて当然である。

筆者が折に触れて再三述べている如く、日本は「日本第一」を目指すべきである。

そのために今やらねばならない事は山ほどある。

その第一は憲法の改正であろう。

もういつまでもごまかしの憲法を掲げて嘘八百を並べて通る時代は過ぎた。日本主体の自前の憲法に作り変える時だと思う。

先般もある新聞の発言欄に「改憲は国民の声なのか」として、

「日本の平和は戦後七十二年、この憲法によって守られてきたことは疑う余地はない。『押し付けられた』などと現行憲法を軽視するかのような姿勢は許されないものだ」

という投稿に出合った。しかも投稿者の年令は七十二歳とある。

こうした人たちは、いったい今の日本の周辺事情をどう見ているのかと疑わざるを得ない。

再三言うように、今の日本が平和でいられるのは日米安保条約によって米軍が日本に駐留しているためであり、それは米国の世界戦略の一環としての日本駐留でしかない。

もし米軍が日本から引き上げたら忽ち中国、韓国、北朝鮮、ロシアの近隣諸国が日本に触手を伸ばして来るのは火を見るより明らかである。

そういう現実を把握する事なく、ただ目先だけの平和が現行憲法のお陰などと思っているような事では、「新聞やテレビの、いったいどこを見たり聴いたりしているのだ」と言いたい。

要するに日本人は、戦後の米国の占領政策にすっかりはまってしまっているのである。

筆者は別のところでも書いたが、戦後、米国は自分の都合でこうした日本に対する政策を何度も変えようとして日本に迫っているのである。

例えばあの昭和二十五年六月二十五日に発生した朝鮮戦争においても、米国はそれまで日本には再び武器を持たせないとした「米国制憲法」ですら簡単に変えて、半ば強制的に自衛隊を創設させ、今日に及んでいる事は誰でも知っている事である。

そうした現実に眼を瞑(つむ)って、戦後の平和が憲法によって守られて来たなどと思っている日本人がまだ多数いるという事は本当に情けない事だと思う。

自分の国は自分で守るなどという事は世界の常識である。

いくら日本が米国を頼りにしたくても、米国は国益に添ってしか動かないのである。

そんな外国を当てにするような考え方は一刻も早く止めて、自分の国は自分で守ろうとする当たり前の事を一日も早く実現させたいと思う。

筆者は今回、トランプ氏が米国大統領になって余計そうした思いを強くした。

一番大切な事は、急務として、戦後の日本人の考え方を根本的に変える事だと思う。

(三) 一生使った辞書と本

筆者は生涯を通じて書道一すじに歩いて来た。

なぜ書道一すじの人生を送ったか、その原点といえば小学生の頃にさかのぼる。筆者を仕事場の隅に坐わらせて、字を教えてくれたのは父であった。

字を教えてくれるといっても父は職人であり、子供に字を教える力は自身にはない。

そこでどうしたかというと、小学生の時の習字の手本に縦、横にきっちりと線を引き、半紙もそのように折らせ、手本の通りに書けと言う指導法であった。

そして少しでも手本と違っていると物指しでぴしっとぶっとばし、「そこが違う、手本通りに書け」と叱った。

小学校に入ったばかりの筆者は半分泣きべそをかきながら、それでも父の前であり嫌とは言えず、耐え忍んで一生懸命手本通りに書く練習を続けたのである。

これが筆者の書の道に入った原点である。

その後家庭の事情で進学もままならず止むなく働かねばならなくなった時、筆者が目指したものは書の道で一生を貫く事であった。

かくして現在に至る人生の第一歩が踏み出されたわけであるが、今も述べた父の全く素人考えの指導がなければ今日の筆者は有り得なかったと思う。

終戦直後という事もあったが、筆者の人生は貧しさの中にあり、ましてや塾になど行かせてもらえるような状態ではなく、全く父の「素人指導」一すじで来た毎日であった。

　その後、長じて書道の塾を始め、人に書道を教える立場になった時、「一（勒）」「、（側）」「乀（磔）」「ノ（掠）」等の基本形をほとんど正確に指導する事が出来たのであるが、こうした事を父から教わった記憶は全然ない。

　塾にも行かせてもらえなかった筆者が、こうした事（基本形の指導方法など）をほとんど正確に誰から教えてもらったのだろうか、と時々思い出すのだが、ある時ようやく思い当たったのが小学校の先生が黒板に書いて教えてくれていたという事であった。

　今思い返してみても（今の先生もそうではあろうが）昔の先生は実に正確に、きっちりとしていたなあと感心する。

　こうして幼年期の父の指導、少年期の小学校の先生の指導、そして成人してから師事した先生方のお陰等で、筆者は深く書道にのめり込む事になった。

　こうして「書家人生」を歩む事になったのであるが、当時辞書は『漢和辞典』『国語辞典』の二冊は絶対必要なものであり、漢和辞典は「文学博士 小柳司気太著　新修漢和大事典　東京博文館蔵版」。国語辞典は「新村出編　広辞苑　岩波書店」の二冊を購入した。

　しかも二冊共古本を購入している。

『新修漢和大事典』の奥付に「昭和三十七年七月三十一日、松本書店にて購入」と墨書してある。

　昭和三十七年といえば筆者が二十九歳の時である。

　この時、名古屋まで出掛けて松本書店で購入したものとみえる。松本書店は「名古屋南大津通一」とある。

何でも書いておくべきだなあという事を思ったが、書いたものは残るのである。

その後書道に絶対に欠かせないものに『五體(たい)字類』というのがあるが、この奥付にも「昭和三十九年六月三日青山碧雲」とある。

漢和大事典も五體字類も今ではぼろぼろで今にも崩れそうになっている。

それでもガムテープで貼り付けたり、直したりして今も大切に使っている。

最近は「スマホ」などという便利なものが出回っており、分からない字など立ちどころに調べる事が出来る。

筆者はそれでもスマホを買ったりせず、これまで何十年も使って来たこれらの辞書や五體字類を使っている。

それはなぜか。

それは筆者が、一度調べるとその事をすぐ鉛筆で辞書や五體字類に書き込む習慣にしているからである。

人間は一度調べたら一遍に頭に入るものではない。同じ字を何度も調べて「ああこれは以前にも調べた事がある字だ」と言う事はよくある事である。

そうした時辞書に直接書いてあればすぐ分かる。

ところがスマホ等の場合はその時が終わるとすぐ消えてしまう。

ただ字や言葉によっては辞書や五體字類には出てこない字が沢山ある。

そうした時はスマホで調べる事もあるが、そんな時でもすぐ辞書に書き写しておく習慣となっている。

こうしてぼろぼろになった辞書を丁寧に扱っているのであるが、こうした事を考えてみると本と言うものは安い物だなあという事をつくづく感ずる。

文字通り一生の伴侶なのである。

筆者も最近ではほとんどやっていないが、先に述べたように主要な辞書などを買った時、日付を巻末にでも記しておくと、何年か経って、その当時の事が思い出されて本当に懐かしいものなのである。

こうした事は実は私どもが毎日使っている筆についても言える事で、羊毛の良質の筆などは何十年経っても使えるし、調子のいい筆というものは本当に書者の宝のようなものなのである。

近年は日本でも中国でも筆の質がうんと悪くなって来ているので、ある程度使うともう駄目になってしまうものはいくらでもあるが、昔の羊毛の筆などには本当に心からの信頼感があり、ついつい同じ筆に手が伸びてしまうというのが本当のところである。

「弘法筆を選ばず」とう言葉もあるが、字というものはまずいい筆を使う事、いい書が書けるかどうかは、いい筆を使うかどうかにかかっているといってもよいと思っている。

(四) 初対面の人は何によって判断するか

日常、私たちはいろいろな人たちと出会う。

旧知の人もいれば全く初対面の人もいる。

旧知の人であれば既に気心も知れており何の気遣いもなく話が出来る。

例えば同級生など何十年振りに同窓会で会っても何の気兼ねもなく話し合える。

ところが全く初対面の人ともなるとそうはいかない。

この人はどういう人だろう。

どこまで気を許して話の出来る人だろうか。

どんな性格の人なんだろう。

といった事が一瞬頭を過る。

そして五分十分と話をしている間にだんだんその人の性格やら人柄が分かって来るのである。

ああこの人は真面目なんだなあとか、この人は何を考えているのだろうとかいろいろな思いが頭を駆け巡って、容易にその人となりが摑めない人もいる。

筆者の経験では、こんな時まず相手の話す言葉を判断の基準にしている。

と言ってもその人の方言によって判断しようとしているのではない。

その人の話す言葉が大阪弁であろうが、東北弁であろうがそんな事は関係ない。

はっきり言えば相手の言葉が乱暴か丁寧かによって判断する事にしている。

平素心遣いの細やかな人は、初対面の人と話をする時は言葉遣いにも充分気を付けて慎重にものを言うものである。

ところが平素乱暴な物言いをしている人はたとえ初対面の人と話をする時でも、ついつい平素の習慣が出てしまい乱暴な物言いになってしまう。

筆者は時折、「習慣とは恐ろしきものなり」と一人心の中で呟く事がある。

平素の習慣とはそれくらい恐ろしいものだという事を常々経験しているからである。

例えばこうした事はやってはいけないと平素自分を戒めているつもりでも、何かの拍子についやってしまって「しまった。今やってはいけないと自分自身に言い聞かせたばかりなのに、もうやってしまった」という事はよくある。

例えばある所へ行こうとしている時、平素と違った道を通っているとついついそちらの道の方へ行ってしまって、途中で間違った事に気付き、目的の道にとって返すという事などよくある事である。そんな時筆者は、「習慣とは恐ろしきものなり」と一人心の中で呟きながら苦笑いをしてしまうのである。

このように平素の習慣は無意識のうちに出てしまうものであり、乱暴な言葉遣いをしたり、傍若無人な生活をしている人は知らず知らずのうちに態度や言葉遣いに出てしまうものなのである。だからいくら初対面の人と言えども五分か十分も話をしておれば大抵その人となりが分かってくる。

それに比べてゆったりとした生活をしている人は言葉遣いもまたゆったりとした感じであり、品のある言葉遣いで「ああこの人は心にゆとりがあり、良家の人だなあ」と感心するのである。だから言葉遣いというものはその人の生活そのものであり、日常の一挙手一投足が言葉遣いに繋がっているといってもよい。

毎日、新聞を読んだり週刊誌の記事を見ていて感ずる事であるが、例えば政治家など、特に東大出の女性代議士は、日常の同僚、秘書たちとの言葉のやり取りをみるとまるで喧嘩ごしである。代議士ともなるとそれほど喧嘩ごしでないと務まらないのかもしれないが、筆者は、この人も政治家でなければ決してこんな言葉遣いはしないであろうし、ましてや女性で東大を出ているような人ならば、人も立てるであろうから自然に品の良い高尚な人柄であったろうに、代議士になったばかりに人に真似の出来ない権力は手に入れたかもしれないが、人間的には二進も三進もいかないようになってしまったのかと、他人事ながら余計な心配をする事がある。やはり代議士ともなると、そうした人間でなければ務まらないのかと思ったりして複雑な心境になるのである。

このように人の言葉遣いには、その人の人格の発露があり、いくら隠そうとしても全て現れてしまう。それだけに言葉遣いというものは大切なものだと思うのである。

今の日本で最も品位のある言葉遣い、態度をとられるのはやはり天皇、皇后を始めとする皇族の方たちである。

日本国憲法第一条には

「天皇は、日本国の象徴であり日本国民統合の象徴であって、この地位は、主権の存する日本国民の総意に基づく。」

とあるがまさに日本の天皇、皇后こそ日本人の品位の象徴であると思う。

勿論我々は、天皇家とは全然違う存在であるからいくら天皇、皇后をお手本にしたいと思っても無理な話ではあるが、やはり天皇、皇后の一挙手一投足は我々国民の理想とすべきものである事は間違いないであろう。

本項の筆者の「初対面の人は何によって判断するか」との最たるものは、やはりその人の言葉遣いにあるのではないかという事は確かなような気がする。

ちょっとした言葉遣い一つで相手にいい感じを与える事もあれば、悪い感じを与える事もあるわけであるので、お互いに言葉遣いには充分気を付けたいものである。

(五) 曼陀羅寺における写経

筆者の住む愛知県江南市は、名古屋から名鉄犬山線特急で約一八分の距離にある。

これまで名古屋はどちらかといえば栄町周辺が中心であり、各種商業施設も栄町周辺に多くが集中し、一大繁華街を形成していたのであった。

これは近い将来リニアモーターカーが現実のものとなり、新幹線事業に一大変革が行われるのと決して無関係ではなく、当然名古屋周辺が開発されることと無縁ではない。

かくして名古屋駅周辺の発展と共に必然的に江南〜名古屋間はその間を縮める事となり、江南市民にとっては願ってもない様相となって来たのである。

これまで「市」とはいえ事実上は「田舎」でしかなかったものが、名古屋市のベッドタウンとしても大いに発展の余地が生まれて来たのである。

ところがこうした明るい将来性に恵まれているとはいえ、我が江南市は観光施設はほとんどゼロであり、近くの犬山市などに比べれば誠にお寒い限りであり、敢えて言えば名古屋市のベッドタウンの域を出ないのが現実である。

こうした現実を打破しようとしてとられたのが、江南市唯一の名刹である曼陀羅寺(まんだらじ)を「藤の名所」

として売り出そうという構想であった。

以後今日まで何年にも亘って改良を重ねて来た結果、近年ではようやく「江南の藤まつり」も定着して来たようであり、市民の一人として大いに喜ばしい事だと思っている。

ところが「江南藤まつり」は四月下旬から五月の初めにかけてほんの短かい期間であり、この短かい期間に何万人もの観光客が曼陀羅寺に集中して一時は足の踏み場もないような混雑振りとなる。

そして藤まつりが終わってしまえばまた元の静寂な境内となり、その落差は余りにも大きい。

日頃、曼陀羅寺の落ち着いた静寂振りを知っている筆者は、余りの落差の違いにいつも吃驚した。

特に藤まつり期間中の喧騒から還った境内は、実に落ち着いた何ともいえない静寂の境地の中にある。

筆者はこの静寂振りが大好きで、藤まつりのあと曼陀羅寺へ行くと「こんな雰囲気の中で写経でもやっていたらどんなにか心が洗われるだろう」と考える事がたびたびであった。

こうした筆者の思いが現実となって当時の曼陀羅寺の貫主様に写経のお願いに行ったのが切掛けとなって、今日まで毎年一回、五月の三週目頃に「写経の会」を主催する事になり、既に本年は二十六回目を数える事になった。

一口に写経といってもお経には膨大な量と種類があるわけであるが、私ども素人が主催する写経の会ではやはり「般若心経」が一番いいのではないかと考え、ずっと「般若心経」を書いてもらっている。

一般に数あるお経の中でも、般若心経は一番身近なお経であるという事と、分量的にいっても二時間余の時間内に書けるということからいっても、一番適当なお経ではないかと判断したからである。

かくして平成六年の第一回の時は五十四名の参加者があり、以後本年の第二十六回目までの間に一番多かった年は八十二名、一番少なかった年は四十一名であった。

しかし皆さん熱心に写経に取り組んで頂き、午前中の写経を終わって昼食をとり、食事が終わってから貫主様の御法話を聞き、その後、全員本堂に移って一人一枚ずつ提出した般若心経にお経をあげて頂いてから解散、という事になった。

先にも書いたように藤まつり期間中とは打って変わったようにお寺の境内は静寂そのものであり、こうした中で写経をするという事は本当に意義のある事だと思う。

特に最近の日本人のように朝から晩までほとんど喧騒の中で生活しているような者にとっては、たとえ半日とはいえこうした静寂の中に身を置き、しかも写経に集中するなどという事は実に得難い体験であり貴重な経験であると思う。

勿論、写経中は他事など考えていないし考える余裕などない。

一日のうちたとえ三十分でも何も考えず頭をからっぽにする時間を持つ事は、自然に自己反省にもつながりいろいろな事を考える基にもなると思う。

人間というものは自分を「空」にする事には耐えられない動物であり、何かを言ったりやったりしていないと不安で仕方がない思いにかられる事さえある。

時には自分一人だけでじっくりと考える時間を作り、

○自分の人生の在り方はこのままでよいか
○今自分がやらなければならない事はないか
○自分が死ぬ時「すべてやり尽した」という満足感で死ねるかどうか

○今の自分の考え方、生き方はこれでいいか？
○今の日本人の考え方や生活振りはどうか
○日本の将来はどうあるべきか
○自分と他人の関係は？
○今自分が反省する事は何か？
○親子、兄弟の関係はいいか？

といった事を繰り返し自分に問い掛け、自分自身の結論を出す事は本当に大切な事だと思う。今の日本人はあまりにも人に引きずられ過ぎていないであろうか。他人はどう思おうと自分はこう思うという信念が必要なのではないかと思う。

その後この「写経の集い」もコロナウイルスの蔓延に伴って、令和元年を最後に止むなく取り止めになってしまったが残念な事であった。

(六) 病気見舞いという事

先日ある人が入院したため早速見舞いに行こうとしたところ、人伝てに本人はあまり来てほしくないとの意向を知った。

よく聞いてみるとその理由は見舞いに来てもらっても、あまりに落ちぶれた今の姿を他人に見てもらいたくないとの事であった。

普通私たちは、平素よく知っている人が入院したりすると早速見舞いに行こうとする。

しかし入院した本人にしてみれば、入院して落ちぶれたような姿を他人に見られるのは余り気が進まないようである。

特に老若を問わず相手が女性である場合はその心理はよく分かるような気がする。

そこで筆者は人伝てに「一日も早く回復して、また元のようなお元気な姿になって頂きたい」とのメッセージを渡して、少し不義理かなあとの思いは残るものの本人の気持ちを尊重して結局見舞いに行くのは一時取り止めとした。

実は筆者も若い時に何度も大病を患らい、心筋梗塞で入院した時には半年近くも入院した事があった。

そして大勢の人が見舞いに来てくれたが、人と接する事は時には気が重い事もあったのは事実である。

しかし筆者は男であり、しかも比較的年令も若い時であったので、その時の体の状態に合わせてどうにか対応し、決して見舞客を不愉快にさせたりした事はなかった積りである。

これが女性という事になると話は違って来るのではないかという事を、最近ようやく気付くようになった。

勿論病気の重い、軽いといった事も関係してくるであろうが、特に年配の人たちにとっては見舞いに来てくれる事が時に有難迷惑の場合もあるのではないかと思う。

だからそのあたりの雰囲気も充分考慮に入れて適切な判断をする事は大切な事だと思う。

ただ一つ筆者が最近特に感ずるのは、日本人の他人との接し方が最近特に希薄になって来た事である。

これについては別のところでも何度か触れたが、最近の日本人はほんの隣り同志の人たちでさえ顔を会わせても挨拶さえしない。

挨拶するのは日頃よく見知っている人たちの間だけで、少しくらい顔を知っている程度の間柄ではほとんど挨拶はしない。

今、筆者は詳しい調査等を基にして言っているわけではないが、読者の皆さん方はそうした事を一度も感じた事はないであろうか。

実は筆者はよく感ずるのである。

そしてこうした事は大人の世界ばかりではなく子供の間にも拡がっているように思う。

ではその理由はどんな事かといえば、「気易く知らない人に言葉を掛けたり、掛けられたりしてそれが〈事件〉に繋がったりしたらどうするのか」とか「知らない人から言葉を掛けられても安易に応ずるのではなく、無視するのが一番いい」などと指導されているという事である。

これでは筆者の日頃思っている事と全く正反対の事となり、なるほどと思う前に「日本の社会も情ない状態になって来たなあ」との思いで一杯である。

子供たちにもこうした指導がされるようでは、一般の大人たちが知らぬ人にはなるべくものを言わなくなっていくのは当然の事ではないか。

この事は突き詰めて考えていけば、日本の社会がだんだん悪くなって来た証拠であり、人を信じる事が出来なくなって来た証拠でもあると思う。

日本が戦争に負けてから早くも七十年余にもなる。

しかし戦争に負けるという事は単に軍事力で敗北しただけでは決してないのである。

特に戦後の日本にとっては米国が日本を再起させないように巧妙に占領政策を立案し、日本の舵取りを行った事はまぎれもない事実である。

それは憲法を頂点として日本社会のあらゆる分野に及んでいる事は知る人ぞ知る事実である。

こうした米国の占領政策によって日本人の考え方、思考が大きく変わってしまったのである。

しかもそうした考え方、思考がいい方向に進んでおれば問題はなかったであろうが、人間社会などというものはそうはいかないのが常である。

その結果ゆがめられた物の考え方は七十年余を経ても正常へはもどらず、今もって四苦八苦しているのが現状である。

日本人が再び日本人のよさを取り戻すにはこの何倍かの年月を要するかもしれない。

今の米国の軍事力をはねのけ、日本独特の軍隊を確立し、国民自体も個人の大切さを認識し、それ以上に国家そのものの大切さを自覚し、今大戦を含めてこれまでに国家のために忠節を尽して亡くなっていった人たちの思いに報いるためにも、その感謝の気持ちを忘れず国家あっての自分である事を忘れないような日本人であってほしいと心から願っている一人である。

病気見舞いという事から話は大きく飛躍してしまったようであるが、要するに国民自身が人と人との繋がりを大切にして、自己本位に落ち入らず国家の事、社会の事を充分考慮に入れて行動するような国民になってほしいと願うからである。

(七) ライオンズメンバーとしての心得

筆者が江南ライオンズクラブに入会したのは一九七九年十月の事であった。

あれから数えて四十年という事になるが、考えてみればよくも続いたものだと思う。

入会当初のメンバーは一三〇名程であり、要するに一三〇番目の入会者であったわけである。

それがこの四十年の間に会員の出入りもあり、今では入会順のメンバー表では一番目にランクされるまでになった。

一三〇番目に入会した者が四十年という月日を経て、いつの間にか一番目にランクされるまでになっていたというわけである。

筆者にとってはこうしたクラブ内のメンバーの移り変わりを見るにつけても、あたかも人生そのものの移り変わりを見るような気がしてならない。

筆者自身の人生もあと幾許もなくなり、やがて死を迎える事は必定であるが、こうした昨今の自分を反省する意味においても、この貴重な四十年間に自分は何を勉強し、また教えられたかを記しておくのも大きな意義があるのではないかと考え、あえてペンをとった次第である。

さて筆者がライオンズメンバーとして第一に胸に刻み付けた事は、

「ライオンズクラブのメンバーは紳士なり」

という事であった。

それでは「紳士」とは一体どういう人をいうのであろうか。

『広辞苑』によれば、
○性行正しく礼儀に厚く学徳ある人
○品格があって礼儀にあつい人
とある。

最近は女性もライオンズクラブの会員となり、「紳士」という言葉が必らずしも適切ではないかもしれないが、
○性行正しく礼儀に厚く学徳ある人
○品格があって礼儀にあつい人
は、そのまま女性メンバーにも通用する言葉ではないかと思う。

次に第二点としては、長期に亘って安定した経済力を維持する事が大切だという事である。

今更筆者が申し上げるまでもなく、何十年という間、事業を安定維持するのは実は大変な事なのである。

二十年、三十年維持する事は出来ても、四十年、五十年ともなるとだんだん難しくなる、ということも世の常というものである。

それが出来る人でなければライオンズクラブのメンバーとしては不適切ではなかろうか。

筆者はこれまで自分の周囲の成功者、失敗者を第三者の立場から、あらゆる方向からじっと見詰め

続けて来た。

その結果も自分の心に刻み付けて来た。

こうした事は決して事業の大、小とは関わりのない事であるが、その原理は一貫して同じ事であるような気がする。

次に第三点として他者(ひと)のために尽すという事の重要な点である。

人間という者はどんな人でも、自分の事については一生懸命になるが、他者の事についてまではなかなか思いが及ばないのが普通である。

「他者(ひと)のために尽くす」。この言葉ほど人間にとって大切な事はないわけであるが、これがなかなか出来る事ではないのである。

他者のために尽くすには、まず第一に自分自身に余裕がなければならない。

ことわざにも「恒産(こうさん)なきものは恒心(こうしん)なし」とあるが、まさにその通りで、第一に自分自身に余裕のある人生を目指すべきだと思う。

だから経済力の裏付けが大切だという事になるわけであるが、自分の事に追われていてはなかなか他者のために尽くすところまではいかないわけで、まず自分の生活や事業を成功、安定させるという事が、ライオンズマンとしての心得となるのではないか。

筆者はこの四十年間、ラインズクラブのメンバーの生き方、人生の考え方、物の見方等をじっと見詰め、その先の自分の行く末に思いを馳せてきた。

そして自分は自分として、力の及ぶ範囲内で信ずる道を歩いて来た積りである。

かくしてクラブの一員として曲がりなりにも無事に一生を過ごさせて頂いた。

本当に感謝の言葉もない。

筆者がライオンズクラブの会員として一番勉強したのは「男としての人生の生き方」という事である。

この四十年間、百人前後の会員ではあったが、それぞれの人生を見ていると、本当に人間というものがよく分かった気がする。

裸一貫からまたたく間に大会社の社長にのし上がった人もいるし、一代であっという間に没落してしまう人もいた。

もともとライオンズクラブに入会するような人は、その地方でも事業の成功者でまた人格者である人が多い。

しかしそんな人たちでも三十年、四十年の間には人生の浮き沈みがあるのである。

決して安泰で順調な人ばかりではない。

実に人生の起伏が激しい人もいる。

筆者はこの四十年間、こうした人たちを冷静に見詰めてきた。

そして時に自分の生き方の手本にしたり、反省の材料にしたりした事もあった。

そうした意味でも筆者はライオンズクラブに入れて頂き、本当によかったと思う。

ところが最近、週刊誌などを見ていると盛んに老後の失敗に気をつけよという事が書いてある。

例えば「六十五歳すぎたら自宅を売ってはいけない」とか「なけなしの老後資金を失ってしまった人たち」とかさまざまな問題点を指摘している。

人生の最後で失敗しないように死ぬまで慎重に生き抜く事は、人間にとって最も大切な事ではないかと考える。

(八) 楊守敬来日前の日本の書道

先般来偶然に手に入れた網野善彦著『日本の歴史をよみなおす』(筑摩書房刊)を読んでいて、筆者はこの部分の経緯は二十年前に出版した筆者の『楊守敬——近代書道の扉を押し開いた人——』の前段に記すのに相応(ふさわ)しい文章ではないかと思ったので、ここに同書からの引用文を書き連ねてみたいと思う。

まず同書で著者は、日本では古くから漢字、平仮名、片仮名の三種類の文字を日常的に使っているがこれは世界的にも珍しい事であり、また江戸時代後期の日本人の識字率は平均四〇パーセントぐらいはあったのではないか、と指摘している。

そして文字社会、文書の世界は非常に均質度が高く、無文字の社会、口頭の世界ははるかに多様だといっている。

さらに文書の世界だけに限定してみても、平仮名、片仮名まじりの文書が出てくるのは十世紀ぐらいからだ。それが十三世紀の後半頃から、文書全体の二〇パーセントぐらいが平仮名、片仮名まじりの文書で占められるようになってくる。

特に室町時代——十五世紀になるとこの割合は俄然はね上がり、五〇パーセントから六〜七〇パーセントぐらいまでが仮名まじりの文書で占められてくると指摘する。

著者は古文書研究の大家でもあるため、その発言には大きな裏付けがあるわけである。

日本の文字は漢字、平仮名、片仮名の三種類が使われていると前記したが、この中でも女性との関係においても平仮名の普及は著しいものがあった。

しかしこの文書によれば片仮名の普及も同様で、特に寺院関係の文書には多く用いられたようである。

従って平仮名はまず女性の文字として用いられ、それを男性が取り込むような形で普及していった。

さらに漢字はといえば、公的な文書は漢字で書く事が多いという。

こうして中世の公的な文書は漢字で書かれる事が多いわけであるが、天皇の綸旨（りんじ）、院の院宣（いんぜん）、三位（さんみ）以上の人の御教書（みぎょうしょ）等は、すべてそうした文書であるとのこと。

そうした中にあって、だんだん平仮名が混入する場合が出て来たのである。

それが爆発的にふえてくるのは室町時代からで、十三世紀後半からその徴候は見えはじめ、十四世紀、さらに十五世紀ともなると平仮名まじりの文書が圧倒的になる。

ここで筆者たち書家が無関心でいられないのは、日本の文字の普及が片仮名ではなく平仮名が主流になって来たという事である。

これが現代の書の発展にも大きく作用している。

しかも戸籍の文字など実にきれいだという。

これが日本社会の、文字に対する原点となっており、日本の書道の出発点はここにあると指摘されている。

こうして日本の文字はどんどん農家の世界にも伝わっていき、その拡がり方は日本の書に大きな変化をもたらしたといわれる。

実は日本の公文書の書体はそれまで「御家流」であったわけであるが、明治四年（一八七一）の廃藩置県の頃を境にしてがらりと変わってしまう。

だから江戸時代の文書をいくら読めても、明治の文書になると大変難しいといった事が起きてくる。明治三年（一八七〇）ごろの日記は上記の書体で書く人と、昔ながらの御家流で書く人とが混ざって出てくるといわれる。

明治四、五年になると完全に明治の書体に変わってしまうとの事である。

こうした日本の書の変遷と変化の中にあって、明治十三年（一八八〇）に至って清国の人・楊守敬が清国公使館員の一人として来日する事になり、その時、日本に持参した一万数千点の書碑、碑版が日本のその後の近代書道に大きな影響を与えた事は、拙書『楊守敬――近代書道の扉を押し開いた人――』を読んで頂ければよく理解して頂けるものと思う。

このように網野善彦師の『日本の歴史をよみなおす』は、単に師の著作としてだけではなく、筆者にとっては『楊守敬』に至る大きな時の流れが一目瞭然にわかる名著として、大きな感銘を与えてくれたものであった。

同書巻末の師の略歴によれば、師は東京大学文学部卒、現在は神奈川大学特任教授という事であり、同書は、

第一章「文字について」に続いて、第二章「貨幣と商業・金融」、第三章「畏怖と賎視」、第四章「女性をめぐって」、第五章「天皇と〈日本の国号〉」と続き、筆者も何度も繰り返し読んだのであるが、

杉村邦彦先生、網野善彦師によらず、その道の専門家は実に凄い人たちだなあという事を改めて確認した次第である。

今後とも書技の研究はもとより、こうした書道の裏付けとなる分野の勉強も怠らず死ぬまで続けていきたいと思う。

実は筆者は平成十二年に『楊守敬』を書く時、ほとんどその裏付けとなる資料はなく四苦八苦したのである。

ある時、名古屋鶴舞中央図書館で見付けた前記、杉村邦彦先生の本によってその資料を引用させて頂き、それが縁となって『楊守敬』が出版出来、その後、今に至るまで杉村先生の御指導を頂いているのである。

今回たまたま網野善彦師の本を読み、あの頃の感動を思い起こさずにはいられなかった次第である。

今考えてみると、当時、筆者がもしこの本に出合っていたら、まずここから主要な部分を引用させて頂いて本の前半を書き、そして楊守敬の本論に入っていったのではないかと愚考する。

それにつけても人間の「出合い」というものは不思議なものだという事を感ずる。

(九) 渡部昇一という人

渡部昇一氏は今や国民的論客といってもよい。

筆者は早くから氏の著作に惹かれ、今や三〇冊以上の本を持っており、氏の本は全部すみからすみまで読んで感動したものばかりである。

さらに谷沢永一氏、新田均氏、八木秀次氏等の共著作品も含めればその数はさらに増しているのである。

氏はもともと上智大学の英語の教授である。

ところが近年の氏の作品は政治分野ばかりはなく、歴史論、人生論、宗教論を始めとしてあらゆる分野に及び、しかもその内容は実に充実していて本当に感心してしまうものばかりなのである。

特に政治面においては『「東京裁判」を裁判する』といった著作を始め、戦後の日本人が失ってしまった国家のプライドという事についても鋭く論説を加え、自己喪失に落ち入っていた日本人に「喝(かつ)」を食らわせた事は大きな功績であるといわなければならない。

中でも前記『「東京裁判」を裁判する』を始め、いろいろな場面で述べられている如く、日本人が神様のように信じ尊敬していたあのマッカーサーが解任後、上院の軍事外交合同委員会で「彼ら（日本人）の戦争に入った目的は、主として自衛のために余儀(よぎ)なくされたものである」と証言した事などをいち早く取り上げ、それまでのマッカーサーへの日本人の盲目的ともいえる接し方に打撃を与えた事は、大きな功績であったといわなければならない。

戦後の日本人の大東亜戦争への考え方に対し、真向から異を稱(とな)えた事も渡部氏の業績の一つだと、筆者は受けとめている。

さらにこうした政治面だけでなく世界の歴史、日本の歴史、個々の人間の生き方を示す幸田露伴の本の解説など、これが英語の先生の著作かと思わせるような作品が目じろ押しなのである。

筆者はこうした渡部氏の著作を読んでいて日本人ももっともっと渡部氏の本を読み、戦後の日本人の考え方を根本から改めるべきだと痛感した次第である。

本当に渡部氏こそ英語学者とは思えないようなしっかりとした論説を展開する人であり、筆者は大きな感動と共感を覚える毎日であった。

ところが実は最近ふとした事で手に入れた『異端の成功者が伝える億万長者の教科書』という、渡部昇一氏と(株)SFCG代表取締役社長大島健伸(けんしん)氏との対話本を読んで実は「えっ」という感じになってしまったのである。

巻末の著者紹介文によれば大島健伸氏は「三井物産入社。電気機械部、海外研修生としてインドネシアに派遣されその後ジャカルタ支店勤務を経て本店業務部に勤務。一九七九年二月SFCGの前身、商工ファンドを創業。一九八九年に同社を店頭上場、九七年に東証二部、九九年に同一部に上場して今日に至る」とある。

確かに一代で大会社を築き上げた成功者である事は間違いない。

しかし渡部昇一氏と対談している相手としては筆者はいささか違和感を持った一人なのである。

先にも述べたように渡部氏は、戦後の日本人としての自信を喪失した日本国民にとっては、今後に大きな自信を与えてくれた数少ない論客である。

その渡部氏がどういう繋がりがあったかは知らないが、大島氏とこうした対談本を出すという事はどうも筆者にとって納得のいかないものであった事は確かである。

この本の帯には「ユダヤ人もビックリ、口先きコンサルタントは真っ青、実践者だけがいえる大金持ち入門書」とあるが、大金持ち入門書であれば日本にはいくらでもその適任者はいる。

大島氏がどんな人か筆者は全く知らないし、別に大島氏を批判しようなどとは毛頭思っていない。ただ筆者がこの本を読んで、渡部氏が対談する相手ではないのではないかと思った事と、この本を読み終わって、日頃、渡部氏の本をほとんど読み続け、大いに感心し、渡部氏の論説こそ戦後失われた日本人のプライドに大きな活を入れるものであり、今後の日本人の考え方の導火線となるものであると信じて来た筆者にとっては、ちょっと違和感を覚えずにはおれなかったのである。

実はもう少し大島氏の本について詳しく書き記したり、氏の事業歴を紹介すべきである事は重々承知しているし、紙数の関係やら大島氏の生き方をあまりよく知らない筆者がこれ以上詳しく書くのは無理との判断から、やや曖昧な論述になってしまった事は誠に申し訳なく思うが、この辺でご勘弁頂きたいと思う。

さて戦後の日本人は敗戦の痛手があまりにも大き過ぎたためか、プライドも生き方も実に曖昧なものになってしまった。

最近の日本を見ていると筆者は戦争に負けるというのはこういう事なのかと思う事がしばしばある。

しかし負けた事は現実の問題であるので今更何を言っても始まらない。

ただその負けた事を如何に生かして再びどう立ち上がるかの問題の方が大切なのである。

ところが今の日本人はそれぞれ勝手な思いだけが先行して、進むべき方向が見い出せないでいる。

今後、本当に日本の将来を正しく導いてくれる指導者が一人でも多く輩出する事を願うばかりである。

今回の渡部氏と大島氏の対談本を読んで筆者は今更のようにその事に思いを致した次第である。

そして一人でも多くの人が渡部氏の本を読み、日本人としての誇りと行き方にしっかりとした自信を持って頂きたいと願う。

(十) 新型コロナ禍による定額給付金

このところコロナ禍の波及は世界規模に及び、我が国においても他国と比べればウイルス感染が比較的少ないとはいえ、その影響をもろにかぶった商店街で収入が激減するなど、大きな影響が出ている。

そこで政府も「定額給付金」制度を設け、一人一〇万円を全国民に支給する事になった。

ところが実際に始めてみると提出書類の不備のほか、いろいろな問題が山積して遅々として進行していないのが実情であり、未だに数パーセントしか達成していない地域もあるようである。(令和二年五月現在)

一方、持続化給付金事業は一般社団法人サービスデザイン推進協議会が七六九億円で受託し、それをまた電通に七四九億円で再委託したりして、とても我々が思っているような単純なものではないようである。

こうした中、拙宅へも振込完了のハガキが届いてようやく給付金が頂ける事になった。

しかし、もらう方は簡単にもらえた積りになっているが、国にしてみたら国民全部に一〇万円を配り終えるのは大変な事であろう。

そこで筆者が思う事であるが、確かに世の中にはコロナ禍の波及で商売がうまくいかなくなって収入が激減し、今、ここで国民一人当たり一〇万円の無償援助があれば本当に助かる、という人も実在するはずである。

しかしよく考えてみれば、今回のコロナ禍の蔓延は業種によってはそんな小手先の操作ぐらいではどうにもならないような深刻なものではないであろうか。

筆者は日頃「商売」、即ち言葉をかえていえば「事業」というものは実に難しいものだと思っている。なぜなら同じ「事業」といっても中企業、大企業ともなれば日頃それだけの危機対策もしているであろうし、今回のような突発的な非常事態に直面してもそれなりに対処するだけの余裕があると思うのであるが、小企業——特に一般の商店街の人たちに至っては、これはもう死活問題である事は容易に想像がつく。

さてここで筆者が言いたい事はこうした突発的で想定外な出来事を前にして、少しも慌てないだけの準備と対策を日頃行っているかどうかという事である。

最近の日本人には、三〇パーセント近くの貯蓄ゼロの人たちが存在すると聞く。

それはこれだけ世の中が豊かになってくると「食べられない」という事がうそのような時代になってしまっているという事である。

いくら貧しい人たちでも「食べられない」などという事は、ほとんど考えなくてもよい世の中になった。

貧しい人は貧しい人なりに何らかの方法で食べていけるのである。

ところが筆者たち（昭和八年生まれ）の子供の時は決してそうではなかった。

筆者は昭和二十年、小学校六年生であったが、名古屋の焼け出されで田舎に転がり込んで来た者にとって土地などあるわけもなく、ただ食べる事だけが命懸けの毎日だったのである。

筆者の世代の者は（といっても当時都会に住んでいた者たちであるが）、「食べる」という事だけが毎日の目標になってしまっていたといってもよい。

だから筆者の世代の人間は「貧乏人根性」が抜け切らないのである。

これは時代がそうだったから仕方がない事である。

ところが今の若い人たちはどうか――そんな事は一切考えなくても生きていけるのである。しかも世の中には「これでもかこれでもか」といった調子であらゆる物が溢れ返っている。

だから十人が十人、目先の欲望に負けてしまうのである。

その結果、いくら金がなくてもついつい買ってしまい、いつも懐（ふところ）は空っぽという事になってしまうのだと思う。

こうした社会風潮の中にあっても小企業経営者は、絶えず最悪の事態を想定して貯蓄に励むだけの心掛けが必要となる。

誤解を恐れずに言えば、今回の政府による国民一人当たり一〇万円の特別給付金も出来ればもらわなくてすませたいところではなかったか。

先程も述べたように、国民の中にはこの一〇万円をもらったために大助かりしたという人たちもいるであろう。

しかしもう少し大きな目で見た場合、これだけ何百億円の費用を掛けて国民に給付した金を、本当に国民は有難いと思っているかどうかという事である。

政府はこれらの金もまた形を変えて税金として徴収してしまうのではないか。

さて折角政府の厚意と思いやりで頂いた給付金をもらっておきながら、何か不足めいた事を言ったようで少々気が引けるが、筆者の真意は決してそんなところにあるのではない。

筆者のいいたい事は「自分の身は自分で守れ」という事である。

いくら何不自由ない豊かな社会になっても「勤倹貯蓄」の精神を忘れてはならない。

これはどんな時代になっても、どんな場合になっても決して忘れてはならない人間の基本だと思う。

幸か不幸か筆者たちの世代はこの人間の基本を否応なく、子供の時に体験して身に付けた。

それが「人間」にとって本当によかったかどうかは、必らずしも言えないと思うのであるが、人間としての基本だけは忘れてはいけないと思う。

コロナ禍の特別給付金問題が、とんだ場違いな主張になってしまい反省しきりである。

「参考文献」

日本は「侵略国家」ではない　渡部昇一　田母神俊雄　海竜社
日本戦後（上）　田原総一朗　講談社
日本はなぜ特攻を選んだのか　黄文雄　徳間書店
中国・韓国が死んでも隠したい　本当は正しかった日本の戦争　黄文雄　徳間書店
米朝密約　なぜいま憲法改正核装備か　日高義樹　徳間書店
アメリカの日本潰しが始まった　日高義樹　徳間書店
アイアコッカ（わが闘争の経営）　リー・アイアコッカ　徳岡孝夫訳　ダイヤモンド社
侵略の世界史　清水馨八郎　祥伝社
敗戦真相記　水野護　バジリコ株式会社
日本国紀　百田尚樹　幻冬舎
それでも日本人は「戦争」を選んだ　加藤陽子　朝日出版社
辛坊訓　辛坊治郎　光文社
日本はなぜ「戦争ができる国」になったのか　矢部宏治　集英社インターナショナル
朝鮮半島最後の陰謀　李鐘植　幻冬舎
国民の覚醒を希う　三好達　明成社
日本覚醒　ケント・ギルバート　宝島社
日本の歴史をよみなおす　網野善彦　筑摩書房
いよいよ歴史戦のカラクリを発信する日本人　ケント・ギルバート　PHP
「東京裁判」を裁判する他　渡部昇一　致知出版社
正論　二〇一五年九月臨時増刊号　大東亜戦争　民族の記憶として　産経新聞社

あとがき

先の戦争は、日本始って以来の大きな戦いであった。

この大戦争に日本は開国以来初めての敗戦という屈辱を喫し、一時は再び立ち上がれないのではないかという思いまでしたのであった。

しかし奇蹟的といおうか幸運といおうか、日本人の底力はこの有史以来初の外国に対する敗戦にもかかわらず、その重圧をはねのけ雄々しく再起したのであった。

ところが勝った米国にしてみれば、再び日本を立ち上らせないようにしたいとの一念から、あらゆる方策を駆使して戦後の日本運営に当たったのであった。

その第一は憲法改正であり、第二は日本の非武装化である。その他目に見えないところで日本を変革しようと画策した。

古来戦争は時の運という事もあり、必ずしも思い通りにいかない事は世界史をみれば一目瞭然である。

しかし敗ければ何とも致し方がない。

敗者は勝者の言いなりになる事は当然である。

しかし日本人の立場から考えた場合は、そうばかりとはいえなくなるのである。

大戦中、日本人のほとんどは国家と共にあったし、国家の行為は日本人の行為そのものであった。

ところが敗戦という現実に直面し、日本人の感覚は一変してしまった。

即ち戦時中はあれ程国民一体となって戦争に協力したにもかかわらず、敗けた途端に当時の軍部はあたかも「悪人」であるかのような態度を取ったのである。

筆者にはこうした事が本当に腹立たしい、情けない態度と写って仕方がないのである。

戦後の日本人の変化の特徴は、

①自分と直接関係がなければ、他人の事だと思って無関心の態度をとる
②自分の目先の事さえよければ、国家の事や他人の事など見向きもしない
③全て米国の言う事は正しく、日本伝統の風俗、習慣など、無視する態度をとる
④軍備を持つ事は戦争をやる事であり、国家や国民の面子が潰されようが自分さえよければよいという考えに固まってしまっている

要するに自己中心主義であり、自分さえよければ他人などどうでもよいという考え方になってしまったように思う。

しかし今更言うまでもなく、我々日本人が個人として存在するのは、国家としての日本があってこそなのである。

日本の領土が外国に侵されても、取られても、今の自分に関係がなければ何とも思わないと思うような人間など日本人ではない。

今、日本の周辺はどうなっているか。

中国、韓国、北朝鮮、ロシアの動きを見ていれば、決してじっとなどしておられないはずである。

日本国憲法第九条第一項には、

日本国民は、正義と秩序を基調とする国際平和を誠実に希求し、国権の発動たる戦争と、武力による威嚇又は武力の行使は、国際紛争を解決する手段としては、永久にこれを放棄する。

また同第二項には、

前項の目的を達するため、陸海空軍その他の戦力は、これを保持しない。国の交戦権は、これを認めない。


とあるが、こんな寝言のような事を言っていて国を守れるのか。

こんな事は小、中学生でも分かる話である。

ところが日本人はこうした米国の占領政策にまんまとはまり込んでしまい、どうにもならないところまで来てしまっているのである。

今、日本人がやらなければならない事は、まず米国の占領政策から抜け出す事である。

その為にやらねばならない事はいくつもあるが、一つ一つ着実にやっていかなければならないと思う。

もう、嘘で固められた現実を維持する事など出来ない状態に来てしまっているのである。

〈著者略歴〉
青山碧雲（あおやま　へきうん／本名　和男）

昭和８年名古屋市に生まれ、江南市に育つ。若くして書道教室を開き、多数の子弟の指導に当たるかたわら、書道に関するさまざまな問題に考察を試み、書道研究に新境地を拓く。

ことに『書家の世界』『題字さまざま』はそれぞれ週刊サイケイ、中日新聞「文化欄」、読売新聞「人間登場」欄はじめ多数のマスコミに取り上げられて大きな話題となる。また、中日新聞「回転いす」「私の美術散歩」に寄稿。

現在　書家、書芸研究家、清玉書道会会長、日本書学会会長、愛知県文連美術展実行委員、江南市美術展運営委員、江南ライオンズクラブ会員、書論研究会会員、一宮中日文化センター講師

著書　『書家の世界』『題字さまざま』（丸ノ内出版）『楊守敬』（燈影舎）『還暦記念碧雲巡礼』『古稀記念碧雲巡礼Ⅱ』『傘寿記念碧雲巡礼Ⅲ』『実語教・童子教全』『書家の眼で見た京都の書』『書家の眼で見た続京都の書』『書家の眼で見た鎌倉の書』『書道のすすめ』『日本の進路』（木耳社）『日本の進路Ⅱ』（人間社）

受賞　江南市政功労者表彰

現住所　〒４８３－８１６６　江南市赤童子町南山７０
TEL・FAX ０５８７－５６－４５７８

日本の進路 Ⅱ

2021年11月12日　　初版1刷発行

著　　者　青山 碧雲
発 行 所　株式会社人間社
〒464-0850　名古屋市千種区今池1-6-13　今池スタービル2F
TEL:052-731-2121　FAX:052-731-2122
http://www.ningensha.com

印刷製本　モリモト印刷株式会社

©HEKIUN AOYAMA, 2021, Printed in Japan
ISBN978-4-908627-76-7 C0039
＊定価はカバーに表示してあります。
＊乱丁・落丁本はお取り替えいたします。